스며들 가는 문제 해결 연산 학습지

응용
연산

D4
초4~초5

약수와 배수

Creative to Math
씨투엠

응용연산 : 상위권으로 가는 문제해결 연산 학습지

요즘 아이들은 초등학교 입학 전에 연산 문제집 한 권 정도는 풀어본 경험이 있습니다. 어릴 때부터 연산 문제를 많이 풀었기 때문에 아이들은 아직 학교에서 배우지 않은 계산 문제를 슥슥 풀어서 부모님들을 흐뭇하게 만들기도 합니다. 그런데 아이들의 연산 능력은 날로 높아지지만 수학 실력은 과거에 비해 그다지 늘지 않은 것 같습니다. 사실 진짜 수학 실력은 연산 문제나 사고력 수학 문제를 주로 푸는 초등 저학년 때는 잘 드러나지 않습니다. 응용 문제를 본격적으로 풀기 시작하는 초등 3, 4학년이 되어서야 아이의 수학 실력을 판별할 수 있습니다.

초등 수학에서 연산이 가장 중요한 것은 부정할 수 없는 사실입니다. 중학생, 고등학생이 되어서 부족한 연산 능력을 키우는 것은 거의 불가능합니다. 이러한 연산의 특수성 때문에 아이들은 어린 나이부터 연산을 반복적으로 연습하여 실력을 키우려고 합니다. 이렇게 열심히 연산을 공부하는데도 왜 어떤 아이들은 수학 문제를 잘 풀지 못하는 것일까요? 그 이유는 현재 연산 학습의 목적이 단지 '계산을 잘 하는 것'이 되어버렸기 때문입니다. 연산은 연산 자체가 목적이 될 수 없으며 수학의 진짜 목표인 문제를 잘 풀기 위한 수단으로 연산을 학습해야 합니다.

과거 초등 수학 교과서의 연산 단원은 ① 원리와 연습 ② 문장제 활용의 단순한 구성이었습니다만 요즘의 교과서는 많이 달라졌습니다. 원리와 연습은 그대로이거나 조금 줄었지만 연산을 응용하는 방식은 좀 더 다양해졌습니다. 계산 능력의 향상만을 꾀하는 것이 아니라 여러 가지 퍼즐이나 수학적 상황 등을 해결할 수 있는 '응용력'에 초점을 맞추고 있다는 것을 보여주는 변화입니다. 따라서 저희는 연산 학습지도 원리나 연습 위주에서 벗어나 실제 문제를 해결할 수 있는 능력에 포인트를 맞추어야 한다고 생각합니다.

'연산은 잘 하는데 수학 문제는 왜 못 풀까요?'에 대한 대답이자 대안으로 저희는 「응용연산」이라는 새로운 컨셉의 연산 학습지를 만들었습니다. 연산 원리를 이해하고 연습하는 것에 그치지 않고, 익힌 것을 활용하는 방법을 바로 보여줄 수 있어야 아이들이 수학 문제에 연산을 효과적으로 적용할 수 있습니다. 연습은 꼭 필요한 만큼만 하고, 더 중요한 응용 문제에 바로 도전함으로써 연산과 문제 해결이 단절되지 않게 하는 것이 「응용연산」에서 기대하는 가장 큰 목표입니다.

「응용연산」을 통해 아이들이 왜 연산을 해야 하는지 스스로 느낄 수 있을 것이라 자신합니다. 이제 연산은 '원리'나 '연습'이 아닌 스스로 문제를 해결할 수 있는 '응용력'입니다.

응용연산의 구성과 특징

- 매일 부담없이 4쪽씩 연산 학습
- 매주 4일간 단계별 연산 학습과 응용 문제를 통한 연산 실력 확인
- 매주 1일 형성평가로 테스트 및 복습

주차별 구성

원리연산

대표 문제를 통해 학습하는 매일 새로운 단계별 연산 학습

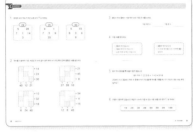

응용연산

기본 문제와 응용 문제를 통한 응용력과 문제해결력 증진

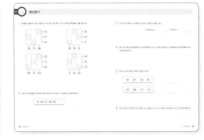

형성평가

가장 중요한 유형을 다시 한번 복습하며 주차 학습 마무리

1주차	1일	2일	3일	4일	5일
	6쪽 ~ 9쪽	10쪽 ~ 13쪽	14쪽 ~ 17쪽	18쪽 ~21쪽	22쪽 ~ 24쪽

2주차	1일	2일	3일	4일	5일
	26쪽 ~ 29쪽	30쪽 ~ 33쪽	34쪽 ~ 37쪽	38쪽 ~41쪽	42쪽 ~ 44쪽

3주차	1일	2일	3일	4일	5일
	46쪽 ~ 49쪽	50쪽 ~ 53쪽	54쪽 ~ 57쪽	58쪽 ~61쪽	62쪽 ~ 64쪽

4주차	1일	2일	3일	4일	5일
	66쪽 ~ 69쪽	70쪽 ~ 73쪽	74쪽 ~ 77쪽	78쪽 ~81쪽	82쪽 ~ 84쪽

정답 및 해설

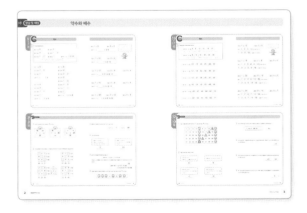

문제와 답을 한눈에 볼 수 있습니다.

이 책의 차례

1 주차	약수와 배수	5
2 주차	배수 판별하기	25
3 주차	최대공약수와 최소공배수	45
4 주차	약수와 배수의 활용	65

약수와 배수

약수와 배수 알아보기

1일   **369 • 약수** 06

2일   **370 • 배수** 10

3일   **371 • 약수의 개수** 14

4일   **372 • 소수의 곱으로 나타내기** 18

5일   **형성평가** 22

약수

개념
원리

약수에 대해 알아봅시다.

$6 \div 1 =$ 6 $6 \div 2 =$ 3

$6 \div 3 =$ 2 $6 \div 4 =$ 1 ⋯ 2

$6 \div 5 =$ 1 ⋯ 1 $6 \div 6 =$ 1   6의 약수 ➡ 1, 2, 3, 6

6은 1, 2, 3, 6으로 나누어떨어집니다. 이때 1, 2, 3, 6을 6의 약수라고 합니다.
약수는 어떤 수를 나누었을 때 나누어떨어지게 하는 수입니다.

$3 \div 1 =$ ☐

$3 \div 2 =$ ☐ ⋯ ☐

$3 \div 3 =$ ☐

3의 약수 ➡ _____

$4 \div 1 =$ ☐

$4 \div 2 =$ ☐

$4 \div 3 =$ ☐ ⋯ ☐

$4 \div 4 =$ ☐

4의 약수 ➡ _____

$8 \div 1 =$ ☐

$8 \div 2 =$ ☐

$8 \div 3 =$ ☐ ⋯ ☐

$8 \div 4 =$ ☐

$8 \div 5 =$ ☐ ⋯ ☐

$8 \div 6 =$ ☐ ⋯ ☐

$8 \div 7 =$ ☐ ⋯ ☐

$8 \div 8 =$ ☐

8의 약수 ➡ _____

9 = ☐ × ☐   9 = ☐ × ☐

9의 약수 ➡ _____

두 수의 곱으로 나타내고
약수를 구해 보세요. 단, 두 수의 곱이
순서만 다른 것은 같은 것으로 보고
약수는 작은 수부터 씁니다.

15 = ☐ × ☐   15 = ☐ × ☐

15의 약수 ➡ _____

12 = ☐ × ☐   12 = ☐ × ☐   12 = ☐ × ☐

12의 약수 ➡ _____

16 = ☐ × ☐   16 = ☐ × ☐   16 = ☐ × ☐

16의 약수 ➡ _____

32 = ☐ × ☐   32 = ☐ × ☐   32 = ☐ × ☐

32의 약수 ➡ _____

1 주어진 수의 약수가 아닌 수에 모두 ✕표 하세요.

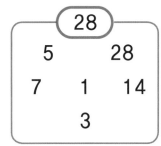

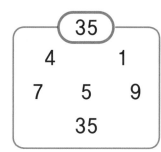

(28)		
5		28
7	1	14
	3	

(35)		
4		1
7	5	9
	35	

(30)		
5		10
6	3	4
	9	

2 약수를 이용하여 가로, 세로로 두 수의 곱이 상자 밖의 수가 되도록 빈칸에 알맞은 수를 넣으세요.

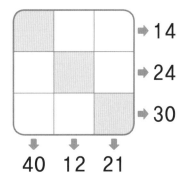

➡ 14
➡ 24
➡ 30

⬇ 40　⬇ 12　⬇ 21

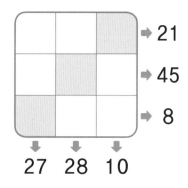

➡ 21
➡ 45
➡ 8

⬇ 27　⬇ 28　⬇ 10

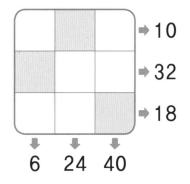

➡ 10
➡ 32
➡ 18

⬇ 6　⬇ 24　⬇ 40

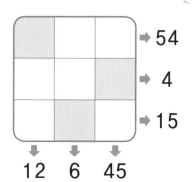

➡ 54
➡ 4
➡ 15

⬇ 12　⬇ 6　⬇ 45

3 85의 약수 중에서 가장 작은 수와 가장 큰 수를 쓰세요.

가장 작은 수: _____ , 가장 큰 수: _____

4 다음 수를 찾으세요.

· 36의 약수입니다.
· 18의 약수가 아닙니다.
· 십의 자리 숫자는 1입니다.

_____

· 48의 약수입니다.
· 이 수의 약수를 모두 더하면 60
입니다.

_____

5 6의 약수 중 6을 뺀 수들의 합은 6입니다.

6의 약수: 1, 2, 3, 6 ➡ 1 + 2 + 3 = 6

25보다 크고 30보다 작은 수 중에서 자기 자신을 뺀 약수를 더했을 때, 자기 자신이 되는 수는 무엇일까요?

_____

6 연필이 18자루 있습니다. 똑같이 나누어 가질 수 있는 사람 수를 모두 찾아 ○표 하세요.

1명   2명   3명   4명   6명   8명   9명   18명

배수

개념
원리

배수를 작은 수부터 차례로 써 봅시다.

3의 배수 ➡ 3, 6 , 9 , 12 , 15 , 18 , 21 ⋯⋯

3을 1배, 2배, 3배 ⋯⋯한 수 3, 6, 9 ⋯⋯를 3의 배수라고 합니다. 3의 배수 중 가장 작은 수는 3입니다.

4의 배수 ➡ 4, 8 , 12 , 16 , 20 , 24 , 28 ⋯⋯

4를 1배, 2배, 3배 ⋯⋯한 수 4, 8, 12 ⋯⋯를 4의 배수라고 합니다. 4의 배수 중 가장 작은 수는 4입니다.

5의 배수 ➡ 5, ☐ , ☐ , ☐ , ☐ , ☐ , ☐ ⋯⋯

6의 배수 ➡ 6, ☐ , ☐ , ☐ , ☐ , ☐ , ☐ ⋯⋯

7의 배수 ➡ 7, ☐ , ☐ , ☐ , ☐ , ☐ , ☐ ⋯⋯

8의 배수 ➡ 8, ☐ , ☐ , ☐ , ☐ , ☐ , ☐ ⋯⋯

10의 배수 ➡ 10, ☐ , ☐ , ☐ , ☐ , ☐ , ☐ ⋯⋯

11의 배수 ➡ 11, ☐ , ☐ , ☐ , ☐ , ☐ , ☐ ⋯⋯

$10 = \boxed{} \times \boxed{}$ $10 = \boxed{} \times \boxed{}$

두 수의 곱으로 나타내고
☐ 안에 알맞은 수를 쓰세요.

10은 $\boxed{}$, $\boxed{}$, $\boxed{}$, $\boxed{}$ 의 배수입니다.

$\boxed{}$, $\boxed{}$, $\boxed{}$, $\boxed{}$ 은 10의 약수입니다.

$18 = \boxed{} \times \boxed{}$ $18 = \boxed{} \times \boxed{}$ $18 = \boxed{} \times \boxed{}$

18은 $\boxed{}$, $\boxed{}$, $\boxed{}$, $\boxed{}$, $\boxed{}$, $\boxed{}$ 의 배수입니다.

$\boxed{}$, $\boxed{}$, $\boxed{}$, $\boxed{}$, $\boxed{}$, $\boxed{}$ 은 18의 약수입니다.

$20 = \boxed{} \times \boxed{}$ $20 = \boxed{} \times \boxed{}$ $20 = \boxed{} \times \boxed{}$

20은 $\boxed{}$, $\boxed{}$, $\boxed{}$, $\boxed{}$, $\boxed{}$, $\boxed{}$ 의 배수입니다.

$\boxed{}$, $\boxed{}$, $\boxed{}$, $\boxed{}$, $\boxed{}$, $\boxed{}$ 은 20의 약수입니다.

$28 = \boxed{} \times \boxed{}$ $28 = \boxed{} \times \boxed{}$ $28 = \boxed{} \times \boxed{}$

28은 $\boxed{}$, $\boxed{}$, $\boxed{}$, $\boxed{}$, $\boxed{}$, $\boxed{}$ 의 배수입니다.

$\boxed{}$, $\boxed{}$, $\boxed{}$, $\boxed{}$, $\boxed{}$, $\boxed{}$ 은 28의 약수입니다.

1 다음 수 배열표에서 **5**의 배수에는 ◯표, **9**의 배수에는 △표 하세요.

1	2	3	4	5	6	7	8	9	10
11	12	13	14	15	16	17	18	19	20
21	22	23	24	25	26	27	28	29	30
31	32	33	34	35	36	37	38	39	40
41	42	43	44	45	46	47	48	49	50

2 다음 조건에 맞는 배수를 쓰세요.

- **4**의 배수입니다.
- **20**보다 크고 **28**보다 작습니다.

_____

- **9**의 배수 중 가장 작은 수입니다.

_____

- **5**의 배수입니다.
- 이 수의 약수를 모두 더하면 **24**입니다.

_____

- **6**의 배수입니다.
- 이 수의 약수를 모두 더하면 **39**입니다.

_____

3 어떤 수의 배수를 가장 작은 수부터 차례로 쓴 것입니다. 13번째 수는 얼마일까요?

7, 14, 21, 28, 35 ……

_____

4 자연수를 1부터 100까지 차례로 늘어놓은 다음 5의 배수를 모두 지웁니다. 남은 수 중 20번째 작은 수는 얼마일까요?

_____

5 어떤 수의 배수 중 5번째 작은 수와 6번째 작은 수의 합은 99입니다. 5번째 배수와 6번째 배수는 각각 얼마일까요?

_____ , _____

6 버스 정류장에서 도서관으로 가는 버스가 오전 7시부터 8분 간격으로 출발합니다. 오전 8시까지 버스는 모두 몇 번 출발할까요?

_____ 번

약수의 개수

다음 수의 약수와 그 개수를 구하고 공통점을 알아봅시다.

(2)   1, 2   [2] 개

(5)   1, 5   [2] 개

(11)   1, 11   [2] 개

약수의 개수는 (②, 4)개입니다.

약수가 1과 자기 자신 뿐인 수를 소수라고 합니다.
소수의 약수의 개수는 2개입니다.

(4)   1, 2, 4   [3] 개

(9)   1, 3, 9   [3] 개

(16)   1, 2, 4, 8, 16   [5] 개

약수의 개수는 (홀수 , 짝수)개입니다.

$1(1 \times 1)$, $4(2 \times 2)$, $9(3 \times 3)$, $16(4 \times 4)$ ……와 같이 자기 자신을 곱해서 나온 수를 제곱수라고 합니다.
제곱수의 약수의 개수는 홀수 개입니다.

---

(3) _____ [ ] 개

(7) _____ [ ] 개

(13) _____ [ ] 개

약수의 개수는 (2 , 4)개입니다.

(1) _____ [ ] 개

(25) _____ [ ] 개

(49) _____ [ ] 개

약수의 개수는 (홀수 , 짝수)개입니다.

---

(8) _____ [ ] 개

(15) _____ [ ] 개

(21) _____ [ ] 개

약수의 개수는 (2 , 4)개입니다.

(6) _____ [ ] 개

(10) _____ [ ] 개

(14) _____ [ ] 개

약수의 개수는 (홀수 , 짝수)개입니다.

약수의 개수를 쓰고,
소수 또는 제곱수를 쓰세요.
소수 또는 제곱수가 아닌 수는
×표 하세요.

(1) _____1_____ 개   제곱수

(2) _____2_____ 개   소수

(3) _____ 개

(4) _____ 개   _____

(5) _____ 개   _____

(6) _____ 개   _____

(7) _____ 개   _____

(8) _____ 개   _____

(9) _____ 개   _____

(10) _____ 개   _____

(11) _____ 개   _____

(12) _____ 개   _____

(13) _____ 개   _____

(14) _____ 개   _____

(15) _____ 개   _____

(16) _____ 개   _____

(17) _____ 개   _____

(18) _____ 개   _____

(19) _____ 개   _____

(20) _____ 개   _____

1 관계있는 것끼리 선으로 이으세요.

| 26 39 15 |

| 19 23 43 |

| 64 81 36 |

약수의 개수가 홀수 개

약수의 개수가 2개

약수의 개수가 4개

소수

제곱수

2 약수의 개수가 많은 수부터 차례로 쓰세요.

| 8 17 28 64 |

_____

3 약수의 개수가 다른 하나에 ✕표 하세요.

| 2 13 23 31 43 51 |

| 8 6 15 40 10 55 |

| 81 49 4 9 25 121 |

4 다음 조건에 맞는 수를 모두 쓰세요.

> • 약수의 개수가 **2**개입니다.
> • **10**보다 크고 **20**보다 작습니다.

_____

> • 약수의 개수가 **3**개입니다.
> • 두 자리 수입니다.

_____

> • **60**의 약수입니다.
> • 약수의 개수가 **2**개입니다.

_____

5 **91**부터 **100**까지의 수 중 약수의 개수가 가장 많은 수는 얼마일까요?

_____

6 약수가 **7**개인 수 중에서 가장 작은 수는 얼마일까요?

_____

7 약수의 개수가 **3**개인 서로 다른 두 수가 있습니다. 두 수의 곱이 **100**일 때, 두 수의 합은 얼마일까요?

_____

소수의 곱으로 나타내기

약수가 1과 자기 자신뿐인 수를 소수라고 합니다. 주어진 수를 소수의 곱으로 나타내어 봅시다.

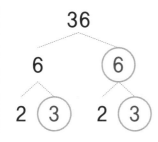 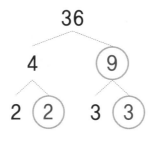 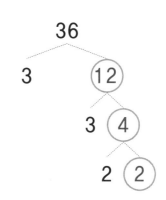

$$36 = \boxed{2} \times \boxed{2} \times \boxed{3} \times \boxed{3}$$

나뭇가지 그림을 그려 소수의 곱으로 나타내는 방법을 약수나무라 합니다.

여러 가지 방법의 그림이 나오지만 결과는 같고, 소수의 곱으로 나타낼 때는 작은 수부터 씁니다.

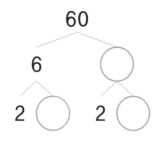 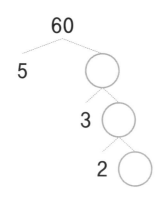 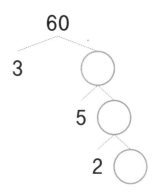

$$60 = \boxed{} \times \boxed{} \times \boxed{} \times \boxed{}$$

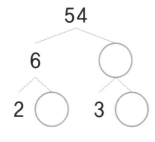 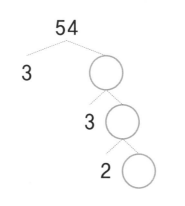 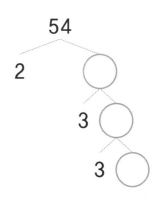

$$54 = \boxed{} \times \boxed{} \times \boxed{} \times \boxed{}$$

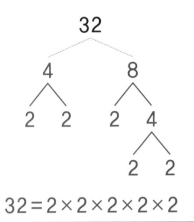

$$32 = 2 \times 2 \times 2 \times 2 \times 2$$

약수나무를 이용하여
소수의 곱으로 나타내세요.

24

90

48

100

1 다음 수를 소수의 곱으로 나타낼 때, 사용된 소수의 개수가 같은 것끼리 선으로 이으세요.

2 다음과 같이 아래 두 수의 곱이 위의 수가 되도록 빈칸에 알맞은 수를 쓰세요. (단, 맨 아래 칸에 들어가는 수는 모두 소수입니다.)

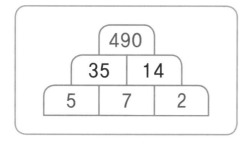

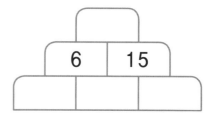

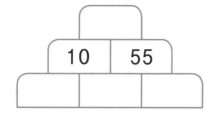

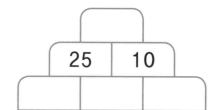

3 다음과 같은 방법으로 1부터 50까지의 수 중에서 소수를 모두 찾으세요.

X	2	3	X	5	X	7	X	X	X
11	X	13	14	15	16	17	18	19	20
21	22	23	24	25	26	27	28	29	30
31	32	33	34	35	36	37	38	39	40
41	42	43	44	45	46	47	48	49	50

① 1은 소수가 아니므로 ×표 합니다.
② 2를 제외한 2의 배수에 모두 ×표 합니다.
③ 3을 제외한 3의 배수에 모두 ×표 합니다.
④ 4는 ×표 되었으므로 넘어갑니다.
⑤ 5를 제외한 5의 배수에 모두 ×표 합니다.
⑥ 같은 방법으로 남은 수 중 처음 수는 남기고, 그 수의 배수에 모두 ×표 합니다.
⑦ 마지막으로 남은 수가 소수가 됩니다.

50보다 작은 소수: _____

4 다음과 같이 5보다 큰 수는 세 소수의 합으로 나타낼 수 있습니다. 다음 수를 세 소수의 합으로 나타내세요. 덧셈 순서만 바뀐 것은 같은 것으로 봅니다.

16 = ☐2☐ + ☐3☐ + ☐11☐

16 = ☐2☐ + ☐7☐ + ☐7☐

19 = ☐ + ☐ + ☐

19 = ☐ + ☐ + ☐

19 = ☐ + ☐ + ☐

13 = ☐ + ☐ + ☐

13 = ☐ + ☐ + ☐

26 = ☐ + ☐ + ☐

26 = ☐ + ☐ + ☐

26 = ☐ + ☐ + ☐

1 약수를 이용하여 가로, 세로로 두 수의 곱이 상자 밖의 수가 되도록 빈칸에 알맞은 수를 넣으세요.

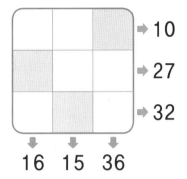

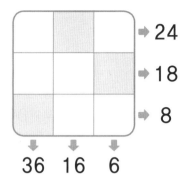

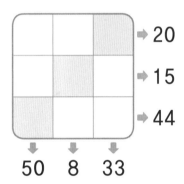

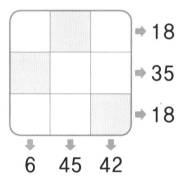

2 어떤 수의 배수를 가장 작은 수부터 차례로 쓴 것입니다. 14번째 수는 얼마일까요?

9, 18, 27, 36, 45 ……

3 72의 약수 중에서 세 번째 작은 수와 두 번째 큰 수를 쓰세요.

세 번째 작은 수: _____ , 두 번째 큰 수: _____

4 어떤 수의 배수 중 6번째 작은 수와 9번째 작은 수의 합은 90입니다. 6번째 배수와 9번째 배수는 각각 얼마일까요?

_____ , _____

5 약수의 개수가 많은 수부터 차례로 쓰세요.

| 41 | 81 | 25 | 91 |

_____

| 27 | 64 | 13 | 12 |

_____

6 약수의 개수가 5개인 서로 다른 두 수가 있습니다. 이 두 수의 합이 97일 때, 두 수의 차는 얼마일까요?

_____

7 아래 두 수의 곱이 위의 수가 되도록 빈칸에 알맞은 수를 쓰세요. (단, 맨 아래 칸에 들어가는 수는 모두 소수입니다.)

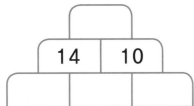

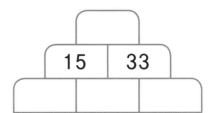

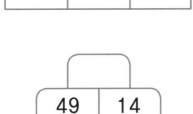

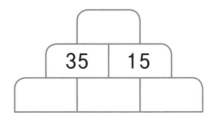

8 다음 수를 세 소수의 합으로 나타내세요. 덧셈 순서만 바뀐 것은 같은 것으로 봅니다.

30 = □ + □ + □

30 = □ + □ + □

31 = □ + □ + □

31 = □ + □ + □

31 = □ + □ + □

31 = □ + □ + □

31 = □ + □ + □

31 = □ + □ + □

2주차

배수 판별하기

수의 특징을 이용하여 배수 판별하기

1일 373 • 끝수로 배수 판정하기 ············· 26

2일 374 • 합으로 배수 판정하기 ············· 30

3일 375 • 곱으로 배수 판정하기 ············· 34

4일 376 • 수를 분해하여 배수 판정하기 ··· 38

5일 형성평가 ···································· 42

끝수로 배수 판정하기

개념
원리

끝수로 배수를 판정하는 방법을 보고 알맞은 배수에 ◯표 하여 봅시다.

2의 배수	끝의 한 자리 수가 0, 2, 4, 6, 8인 수	⬭6⬭	7	31	⬭54⬭
		⬭370⬭	403	⬭1972⬭	6805

4의 배수	끝의 두 자리 수가 00이거나 4로 나누어떨어지는 수	6	⬭8⬭	⬭12⬭	70
		⬭200⬭	642	2014	⬭9652⬭

1972의 경우 끝의 한 자리 수가 2이므로 2의 배수입니다.

2014의 경우 끝 두 자리 수가 14이고, 14는 4의 배수가 아니므로 2014는 4의 배수가 아닙니다.

5의 배수	끝의 한 자리 수가 0, 5인 수	5	8	52	95
		120	702	1054	8740

10의 배수	끝의 한 자리 수가 0인 수	20	75	100	306
		770	999	1001	5050

8의 배수	끝의 세 자리 수가 000이거나 8로 나누어떨어지는 수	8	9	72	82
		548	816	3000	4412

○안의 수는 어떤 수의 배수인지
모두 찾아○표 하세요.

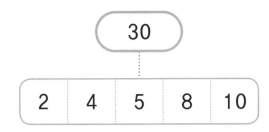

30

| 2 | 4 | 5 | 8 | 10 |

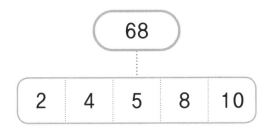

68

| 2 | 4 | 5 | 8 | 10 |

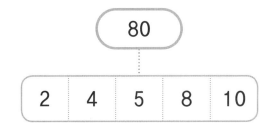

80

| 2 | 4 | 5 | 8 | 10 |

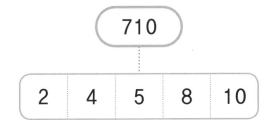

710

| 2 | 4 | 5 | 8 | 10 |

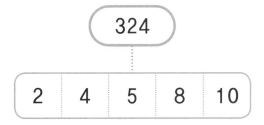

324

| 2 | 4 | 5 | 8 | 10 |

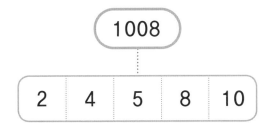

1008

| 2 | 4 | 5 | 8 | 10 |

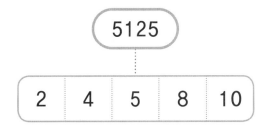

5125

| 2 | 4 | 5 | 8 | 10 |

1 ⬭ 안의 수가 어떤 수의 배수인지 찾아 선으로 이으세요.

71232

50000

2	4	5	8	10

2	4	5	8	10

70005

38872

2	4	5	8	10

2	4	5	8	10

2 ☐ 안에 알맞은 수에 모두 ◯표 하세요.

259☐는 2의 배수입니다.

0	1	2	3	4	5	6	7	8	9

259☐는 4의 배수입니다.

0	1	2	3	4	5	6	7	8	9

259☐는 5의 배수입니다.

0	1	2	3	4	5	6	7	8	9

259☐는 8의 배수입니다.

0	1	2	3	4	5	6	7	8	9

3 수 카드 중 3장을 사용하여 세 자리 수를 만듭니다. 만들 수 있는 배수를 작은 수부터 차례로 쓰세요.

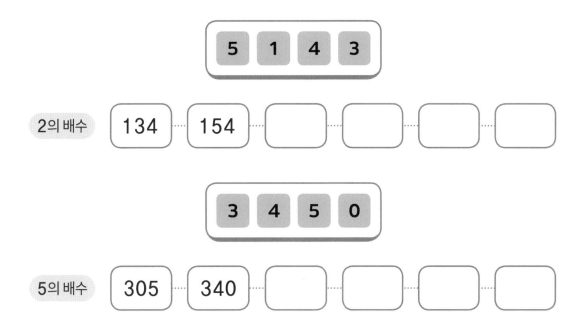

2의 배수 [134]······[154]······[   ]······[   ]······[   ]······[   ]

5의 배수 [305]······[340]······[   ]······[   ]······[   ]······[   ]

4 다음 네 자리 수의 ☐ 안에는 같은 숫자가 들어갑니다. 이 수가 4의 배수인 경우는 모두 몇 가지일까요?

_____ 가지

5 다음 수를 모두 찾아 쓰세요.

> • 두 자리 수입니다.
> • 2의 배수입니다.
> • 4의 배수가 아닙니다.
> • 각 자리 숫자의 합이 10의 배수입니다.

_____

합으로 배수 판정하기

개념
원리

3과 9의 배수를 판정하는 방법을 알아봅시다.

<u>51</u>은 3의 배수(입니다), 가 아닙니다).

→ 5 + 1 = 6

<u>84</u>는 9의 배수(입니다 , 가 아닙니다).

→ 8 + 4 = 12

<u>255</u>는 3의 배수(입니다), 가 아닙니다).

→ 2+5+5 = 12

<u>458</u>은 9의 배수(입니다 , 가 아닙니다).

→ 4+5+8 = 17

<u>4531</u>은 3의 배수(입니다 , 가 아닙니다).

→ 4+5+3+1 = 13

<u>5616</u>은 9의 배수(입니다), 가 아닙니다).

→ 5+6+1+6 = 18

3의 배수는 각 자리 숫자의 합이 3의 배수입니다.

9의 배수는 각 자리 숫자의 합이 9의 배수입니다.

<u>14</u>는 3의 배수(입니다 , 가 아닙니다).

→ ☐ + ☐ = ☐

<u>70</u>은 9의 배수(입니다 , 가 아닙니다).

→ ☐ + ☐ = ☐

<u>73</u>은 3의 배수(입니다 , 가 아닙니다).

→ ☐ + ☐ = ☐

<u>81</u>은 9의 배수(입니다 , 가 아닙니다).

→ ☐ + ☐ = ☐

<u>345</u>는 3의 배수(입니다 , 가 아닙니다).

→ ☐ + ☐ + ☐ = ☐

<u>648</u>은 9의 배수(입니다 , 가 아닙니다).

→ ☐ + ☐ + ☐ = ☐

<u>3323</u>은 3의 배수(입니다 , 가 아닙니다).

→ ☐ + ☐ + ☐ + ☐ = ☐

<u>9652</u>는 9의 배수(입니다 , 가 아닙니다).

→ ☐ + ☐ + ☐ + ☐ = ☐

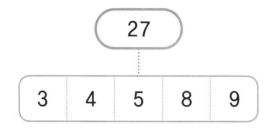

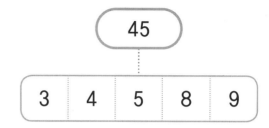

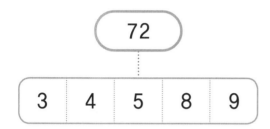

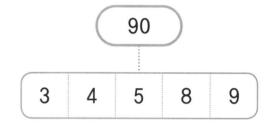

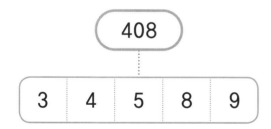

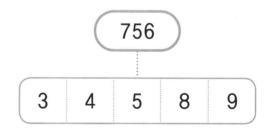

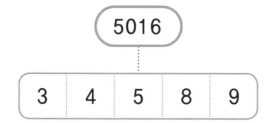

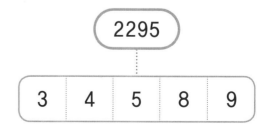

1 ◯ 안의 수가 어떤 수의 배수인지 찾아 선으로 이으세요.

12345

90000

3	4	5	8	9

3	4	5	8	9

25083

56376

3	4	5	8	9

3	4	5	8	9

2 ☐ 안에 알맞은 수에 모두 ◯표 하세요.

3☐85는 3의 배수입니다.

0	1	2	3	4	5	6	7	8	9

81☐0은 9의 배수입니다.

0	1	2	3	4	5	6	7	8	9

205☐는 3의 배수입니다.

0	1	2	3	4	5	6	7	8	9

☐851은 3의 배수입니다.

0	1	2	3	4	5	6	7	8	9

3 수 카드 중 **3**장을 사용하여 세 자리 수를 만듭니다. 만들 수 있는 배수를 작은 수부터 차례로 쓰세요.

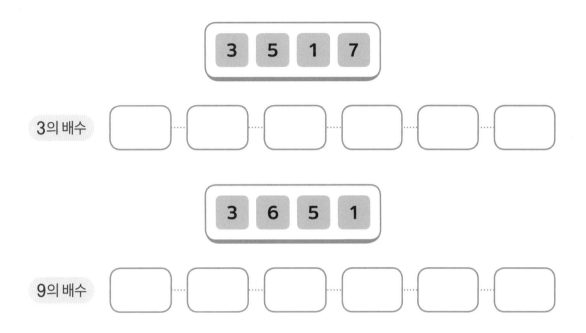

3의 배수

9의 배수

4 다음 조건에 맞는 **3**의 배수와 **9**의 배수를 찾아 쓰세요.

> **123**과 같이 각 자리 숫자가 **1**씩 커지는 세 자리 수

3의 배수:

9의 배수:

5 다음 네 자리 수가 **9**로 나누어떨어지도록 ☐ 안에 수를 넣는 방법은 모두 몇 가지일까요?

3 ☐ ☐ 7   _____ 가지

곱으로 배수 판정하기

 두 수의 곱을 이용하여 배수를 판정하는 방법을 알아봅시다.

수	42	261	712	3564
2의 배수	○	×	○	○
3의 배수	○	○	×	○
6의 배수	○	×	×	○

2의 배수이고 3의 배수이면
6(=2×3)의 배수입니다.

수	45	702	860	2970
3의 배수	○	○	×	○
5의 배수	○	×	○	○
15의 배수	○	×	×	○

3의 배수이고 5의 배수이면
15(=3×5)의 배수입니다.

수	24	111	256	3012
3의 배수				
4의 배수				
12의 배수				

수	94	459	918	9045
2의 배수				
9의 배수				
18의 배수				

수	32	246	888	1104
3의 배수				
8의 배수				
24의 배수				

수	72	234	180	1124
4의 배수				
9의 배수				
36의 배수				

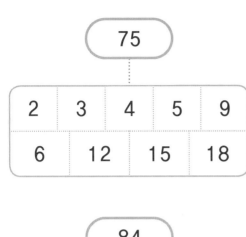

75

2	3	4	5	9
6	12	15	18	

○안의 수가 어떤 수의 배수인지
모두 찾아 ○표 하세요.

84

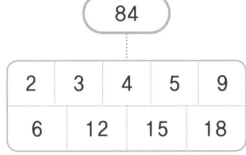

2	3	4	5	9
6	12	15	18	

90

2	3	4	5	9
6	12	15	18	

615

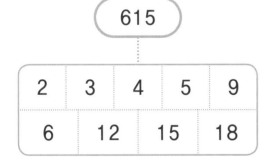

2	3	4	5	9
6	12	15	18	

306

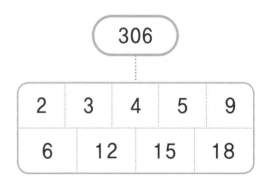

2	3	4	5	9
6	12	15	18	

5016

2	3	4	5	9
6	12	15	18	

9420

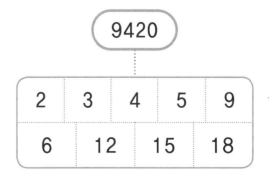

2	3	4	5	9
6	12	15	18	

1 안에 알맞은 수를 넣으세요.

3의 배수이면서 4의 배수인 수는 ☐ 의 배수입니다.

2의 배수이면서 6의 배수인 수는 ☐ 의 배수입니다.

3의 배수이면서 6의 배수인 수는 ☐ 의 배수입니다.

2의 배수이면서 9의 배수인 수는 ☐ 의 배수입니다.

2 배수를 모두 찾아 ◯표 하세요.

| 6의 배수 | 51384 | 15532 | 30654 | 16581 | 55056 |

| 12의 배수 | 67383 | 19236 | 49524 | 70890 | 38475 |

| 15의 배수 | 36129 | 27790 | 78525 | 91235 | 10290 |

| 18의 배수 | 97623 | 10026 | 89304 | 34560 | 89322 |

3 수 카드 중 3장을 사용하여 세 자리 수를 만듭니다. 만들 수 있는 배수를 작은 수부터 차례로 쓰세요.

3의 배수: _____

4의 배수: _____

12의 배수: _____

4 다음 네 자리 수가 15의 배수라 할 때 ☐ 안에 수를 넣는 방법은 모두 몇 가지일까요?

_____ 가지

5 서점에서 같은 책 36권을 사고 91☐☐0원을 지불했습니다. 책 1권은 얼마일까요? (단, ☐ 안에는 같은 수가 들어갑니다.)

_____ 원

수를 분해하여 배수 판정하기

수를 덧셈으로 분해하여 배수를 판정하는 방법을 알아봅시다.

<u>2947</u>은 7의 배수((입니다) , 가 아닙니다).

→ 2800 + | 140 | +7

7의 배수

<u>4033</u>은 13의 배수(입니다 , (가 아닙니다)).

→ 3900 + | 130 | +3

13의 배수   13의 배수가 아닙니다.

■, ●가 어떤 수의 배수이면
■, ●의 합 또는 차도 어떤 수의 배수가 됩니다.
2800, 140, 7이 모두 7의 배수이므로
2800+140+7도 7의 배수가 됩니다.

3900과 130은 13의 배수이고
3은 13의 배수가 아니므로
3900+130+3은 13의 배수가 아닙니다.

<u>802</u>는 7의 배수(입니다 , 가 아닙니다).

→ 700 + [ ] +32

<u>363</u>은 11의 배수(입니다 , 가 아닙니다).

→ 330 + [ ]

<u>3604</u>는 17의 배수(입니다 , 가 아닙니다).

→ 3400 + [ ] +34

<u>4198</u>은 13의 배수(입니다 , 가 아닙니다).

→ 3900 + [ ] +38

<u>2299</u>는 19의 배수(입니다 , 가 아닙니다).

→ 1900 + [ ] +19

<u>6571</u>은 31의 배수(입니다 , 가 아닙니다).

→ 6200 + [ ] +61

927은 7의 배수(입니다 , <u>가 아닙니다</u>).

▶ _____

989는 11의 배수(입니다 , <u>가 아닙니다</u>).

▶ _____

수를 덧셈으로 분해하여
배수를 판별하세요.

868은 7의 배수(입니다 , 가 아닙니다).

▶ _____

1599는 13의 배수(입니다 , 가 아닙니다).

▶ _____

4874는 23의 배수(입니다 , 가 아닙니다).

▶ _____

3229는 29의 배수(입니다 , 가 아닙니다).

▶ _____

5833은 11의 배수(입니다 , 가 아닙니다).

▶ _____

1 배수를 찾아 선으로 이으세요.

7의 배수

11의 배수

143

13의 배수

17의 배수

5의 배수

31의 배수

2990

17의 배수

23의 배수

2 배수를 모두 찾아 ◯표 하세요.

| 7의 배수 | 364 | 641 | 3529 | 2247 | 71548 |

| 11의 배수 | 122 | 892 | 1572 | 5797 | 58542 |

| 13의 배수 | 459 | 273 | 1599 | 2052 | 16363 |

| 17의 배수 | 986 | 797 | 3179 | 4382 | 16119 |

3 다음 수는 **7**의 배수입니다. ☐ 안에 들어갈 수 있는 수를 모두 쓰세요.

$$42 \boxed{} 1$$

_____

4 **4000**에 가장 가까운 **13**의 배수를 구하려고 합니다. 물음에 답하세요.

3900은 **13**의 배수일까요? (예, 아니오)

_____

100에 가장 가까운 **13**의 배수는 얼마일까요?

_____

4000에 가장 가까운 **13**의 배수는 얼마일까요?

_____

같은 방법을 사용하여 **5000**에 가장 가까운 **17**의 배수를 구하세요.

_____

5 다음 네 자리 수가 **11**의 배수라 할 때 ☐ 안에 수를 넣는 방법은 모두 몇 가지일까요?

$$88 \boxed{} \boxed{}$$

_____ 가지

1 ⬭ 안의 수가 어떤 수의 배수인지 찾아 선으로 이으세요.

44736

| 2 | 4 | 5 | 8 | 10 |

56825

| 2 | 4 | 5 | 8 | 10 |

48180

| 2 | 4 | 5 | 8 | 10 |

17164

| 2 | 4 | 5 | 8 | 10 |

2 ☐ 안에 알맞은 수에 모두 ◯표 하세요.

43☐2는 4의 배수입니다.

| 0 | 1 | 2 | 3 | 4 | 5 | 6 | 7 | 8 | 9 |

874☐는 5의 배수입니다.

| 0 | 1 | 2 | 3 | 4 | 5 | 6 | 7 | 8 | 9 |

1☐36은 8의 배수입니다.

| 0 | 1 | 2 | 3 | 4 | 5 | 6 | 7 | 8 | 9 |

3 다음 조건에 맞는 3의 배수와 9의 배수를 모두 쓰세요.

135와 같이 각 자리 숫자가 2씩 커지는 세 자리 수

3의 배수: _____

9의 배수: _____

4 다음 네 자리 수가 9로 나누어떨어지도록 ☐ 안에 수를 넣는 방법은 몇 가지일까요?

☐5☐8

_____ 가지

5 ☐ 안에 알맞은 수를 넣으세요.

9의 배수이면서 27의 배수인 수는 ☐ 의 배수입니다.

5의 배수이면서 3의 배수인 수는 ☐ 의 배수입니다.

6의 배수이면서 4의 배수인 수는 ☐ 의 배수입니다.

8의 배수이면서 12의 배수인 수는 ☐ 의 배수입니다.

6 과일 가게에서 귤 45개를 사고 27◻8◻원을 지불했습니다. 귤 1개는 얼마일까요? (단, ◻ 안에
는 같은 수가 들어갑니다.)

_____ 원

7 다음 수는 7의 배수입니다. ◻ 안에 들어갈 수 있는 수를 모두 쓰세요.

6 ◻ 39

_____

8 배수를 모두 찾아 ◯표 하세요.

| 7의 배수 | 582 | 491 | 3594 | 1778 | 10794 |

| 11의 배수 | 583 | 887 | 1078 | 6342 | 37548 |

| 13의 배수 | 589 | 745 | 1274 | 6084 | 20109 |

3주차

최대공약수와 최소공배수

최대공약수와 최소공배수 알아보기

1일   377 • 공약수와 최대공약수 ············· 46

2일   378 • 최대공약수 구하기 ················ 50

3일   379 • 공배수와 최소공배수 ············· 54

4일   380 • 최소공배수 구하기 ················ 58

5일   형성평가 ························· 62

공약수와 최대공약수

개념
원리

공약수와 최대공약수에 대해 알아봅시다.

8과 12의
공약수와 최대공약수

8의 약수: 1, 2, 4, 8
12의 약수: 1, 2, 3, 4, 6, 12

8과 12의 공약수: $\boxed{1}$, $\boxed{2}$, $\boxed{4}$

8과 12의 최대공약수: $\boxed{4}$

8과 12의 공통인 약수 1, 2, 4를 8과 12의 공약수라고 합니다.
공약수 중 가장 큰 수 4를 8과 12의 최대공약수라고 합니다.

15와 18의
공약수와 최대공약수

15의 약수: 1, 3, 5, 15
18의 약수: 1, 2, 3, 6, 9, 18

15와 18의 공약수: $\boxed{}$, $\boxed{}$

15와 18의 최대공약수: $\boxed{}$

24와 30의
공약수와 최대공약수

24의 약수: 1, 2, 3, 4, 6, 8, 12, 24
30의 약수: 1, 2, 3, 5, 6, 10, 15, 30

24와 30의 공약수: $\boxed{}$, $\boxed{}$, $\boxed{}$, $\boxed{}$

24와 30의 최대공약수: $\boxed{}$

12와 18의
공약수와 최대공약수

12의 약수: 1, 2, 3, 4, 6, 12
18의 약수: 1, 2, 3, 6, 9, 18

12와 18의 공약수: $\boxed{}$, $\boxed{}$, $\boxed{}$, $\boxed{}$

12와 18의 최대공약수: $\boxed{}$

15와 45의 **공약수와 최대공약수**	15의 약수: _____ 45의 약수: _____ 15와 45의 공약수: _____ 15와 45의 최대공약수: _____

30과 48의 **공약수와 최대공약수**	30의 약수: _____ 48의 약수: _____ 30과 48의 공약수: _____ 30과 48의 최대공약수: _____

35와 42의 **공약수와 최대공약수**	35의 약수: _____ 42의 약수: _____ 35와 42의 공약수: _____ 35와 42의 최대공약수: _____

75와 100의 **공약수와 최대공약수**	75의 약수: _____ 100의 약수: _____ 75와 100의 공약수: _____ 75와 100의 최대공약수: _____

1 주어진 수를 빈 곳에 알맞게 넣으세요.

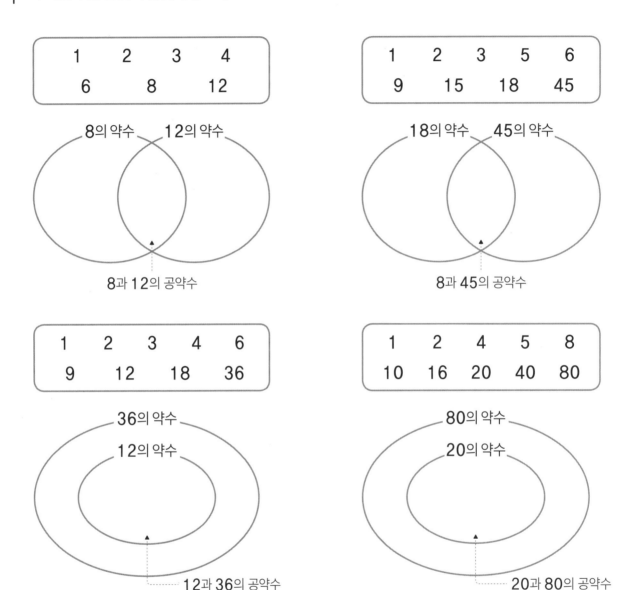

2 72와 48을 어떤 수로 나누면 두 수 모두 나누어떨어집니다. 어떤 수가 될 수 있는 수의 합은 얼마일까요?

3 다음 두 수의 공약수와 최대공약수를 구하고, 구한 최대공약수의 약수를 모두 쓰세요.

32 48

공약수: _____

최대공약수: _____

최대공약수의 약수: _____

4 다음을 읽고 잘못 말한 친구의 이름을 쓰세요.

24와 36의 공약수 중에서 가장 작은 수는 1이야.

슬기

24와 36의 공약수는 두 수를 모두 나누어떨어지게 할 수 있어.

준희

24와 36의 공약수 중에서 제일 큰 수는 6이야.

승희

24와 36의 공약수는 24와 36의 최대공약수의 약수와 같아.

정호

_____

5 어떤 두 수의 최대공약수가 49입니다. 어떤 두 수의 공약수를 모두 구하세요.

_____

6 장미 30송이와 튤립 45송이를 최대한 많은 학생들에게 남김없이 똑같이 나누어 주려고 합니다. 최대 몇 명에게 줄 수 있을까요?

_____ 명

최대공약수 구하기

개념
원리

최대공약수를 구하는 방법을 알아봅시다.

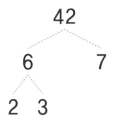

42

6   7

2 3

$42 = 2 \times 3 \times 7$

90

9   10

3 3   2 5

$90 = 2 \times 3 \times 3 \times 5$

42와 90의 최대공약수 ➡ $2 \times 3 =$ 6

42와 90을 소수의 곱으로 나타낸 후 공통의 곱셈식을 찾습니다.
$2 \times 3 = 6$

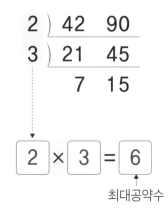

$$2) \overline{ 42 \quad 90}$$
$$3) \overline{ 21 \quad 45}$$
$$ \quad 7 \quad 15$$

2 × 3 = 6
최대공약수

1 이외의 공약수로 42와 90을 나누고
공약수의 곱을 구합니다. $2 \times 3 = 6$

40

4   10

2 2   2 5

$40 = \boxed{} \times \boxed{} \times \boxed{} \times 5$

24

4   6

2 2   2 3

$24 = \boxed{} \times \boxed{} \times \boxed{} \times 3$

40과 24의 최대공약수 ➡ $\boxed{} \times \boxed{} \times \boxed{} = \boxed{}$

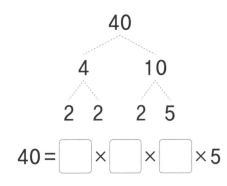

$$2) \overline{ 40 \quad 24}$$
$$2) \overline{ 20 \quad 12}$$
$$2) \overline{ 10 \quad 6}$$
$$ \quad 5 \quad 3$$

$\boxed{} \times \boxed{} \times \boxed{} = \boxed{}$
최대공약수

$$2) \overline{ 20 \quad 50}$$
$$5) \overline{ 10 \quad 25}$$
$$ \quad 2 \quad 5$$

$\boxed{} \times \boxed{} = \boxed{}$
최대공약수

$16 = 2 \times \boxed{} \times \boxed{} \times \boxed{}$

$20 = 2 \times \boxed{} \times \boxed{}$

16과 20의 최대공약수 ➡ $\boxed{} \times \boxed{} = \boxed{}$

$\overline{)\,16\quad20}$

$18 = 2 \times \boxed{} \times \boxed{}$

$27 = 3 \times \boxed{} \times \boxed{}$

18과 27의 최대공약수 ➡ $\boxed{} \times \boxed{} = \boxed{}$

$\overline{)\,18\quad27}$

$36 = 2 \times \boxed{} \times \boxed{} \times \boxed{}$

$54 = 2 \times \boxed{} \times \boxed{} \times \boxed{}$

36과 54의 최대공약수 ➡ $\boxed{} \times \boxed{} \times \boxed{} = \boxed{}$

$\overline{)\,36\quad54}$

1 다음 수들의 규칙을 찾아 빈칸에 알맞은 수를 쓰세요.

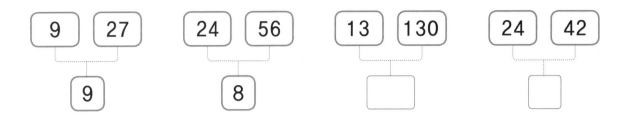

| 9 | 27 |
| 9 |

| 24 | 56 |
| 8 |

| 13 | 130 |
| □ |

| 24 | 42 |
| □ |

2 두 수의 최대공약수가 같은 것끼리 선으로 이으세요.

15	30
14	35
36	18

42	49
54	72
45	60

32	48
33	77
72	81

27	36
80	16
55	99

3 두 수의 최대공약수가 다른 것을 찾아 ✕표 하세요.

| 8, 16 | 24, 16 | 36, 28 | 40, 64 | 72, 56 |

| 7, 84 | 14, 28 | 49, 56 | 21, 35 | 77, 42 |

4 다음과 같은 방법으로 세 수의 최대공약수를 구하세요.

$$\begin{array}{r|ccc} 2 & 36 & 24 & 42 \\ 3 & 18 & 12 & 21 \\ \hline & 6 & 4 & 7 \end{array}$$

최대공약수: $2 \times 3 = 6$

$$\begin{array}{r|ccc} & 27 & 63 & 54 \end{array}$$

최대공약수: _____

$$\begin{array}{r|ccc} & 16 & 24 & 56 \end{array}$$

최대공약수: _____

$$\begin{array}{r|ccc} & 45 & 75 & 30 \end{array}$$

최대공약수: _____

5 사과 72개, 귤 30개, 배 48개를 최대한 많은 학생들에게 남김없이 똑같이 나누어 주려고 합니다. 몇 명에게 나누어 줄 수 있을까요?

_____ 명

6 연필 2타와 공책 40권을 최대한 많은 학생들에게 남김없이 똑같이 나누어 주려고 합니다. 학생 1명이 연필과 공책을 각각 몇 개씩 받을 수 있을까요?

연필: _____ 자루, 공책: _____ 권

공배수와 최소공배수

개념
원리

공배수와 최소공배수에 대해 알아봅시다.

4와 6의 공배수와 최소공배수

4의 배수: 4, 8, 12, 16, 20, 24, 28, 32, 36 ……
6의 배수: 6, 12, 18, 24, 30, 36, 42, 48, 54 ……

4와 6의 공배수: 12 , 24 , 36 ……   4와 6의 최소공배수: 12

4와 6의 공통인 배수 12, 24, 36 ……을 4와 6의 공배수라고 합니다.
공배수 중 가장 작은 수 12를 4와 6의 최소공배수라고 합니다.

3과 5의 공배수와 최소공배수

3의 배수: 3, 6, 9, 12, 15, 18, 21, 24, 27, 30 ……
5의 배수: 5, 10, 15, 20, 25, 30, 35, 40, 45, 50 ……

3과 5의 공배수: ☐ , ☐ ……   3과 5의 최소공배수: ☐

4와 5의 공배수와 최소공배수

4의 배수: 4, 8, 12, 16, 20, 24, 28, 32, 36, 40 ……
5의 배수: 5, 10, 15, 20, 25, 30, 35, 40, 45, 50 ……

4와 5의 공배수: ☐ , ☐ ……   4와 5의 최소공배수: ☐

3과 4의 공배수와 최소공배수

3의 배수: 3, 6, 9, 12, 15, 18, 21, 24, 27, 30 ……
4의 배수: 4, 8, 12, 16, 20, 24, 28, 32, 36, 40 ……

3과 4의 공배수: ☐ , ☐ ……   3과 4의 최소공배수: ☐

6과 9의 공배수와 최소공배수

6의 배수: ☐ , ☐ , ☐ , ☐ , ☐ , ☐ , ☐ , ☐ ……

9의 배수: ☐ , ☐ , ☐ , ☐ , ☐ , ☐ ……

6과 9의 공배수: ☐ , ☐ ……   6과 9의 최소공배수: ☐

6과 8의 공배수와 최소공배수

6의 배수: ☐ , ☐ , ☐ , ☐ , ☐ , ☐ , ☐ , ☐ ……

8의 배수: ☐ , ☐ , ☐ , ☐ , ☐ , ☐ , ☐ ……

6과 8의 공배수: ☐ , ☐ ……   6과 8의 최소공배수: ☐

15와 20의 공배수와 최소공배수

15의 배수: ☐ , ☐ , ☐ , ☐ , ☐ , ☐ , ☐ ……

20의 배수: ☐ , ☐ , ☐ , ☐ , ☐ , ☐ ……

15와 20의 공배수: ☐ , ☐ ……   15와 20의 최소공배수: ☐

14와 21의 공배수와 최소공배수

14의 배수: ☐ , ☐ , ☐ , ☐ , ☐ , ☐ , ☐ ……

21의 배수: ☐ , ☐ , ☐ , ☐ , ☐ ……

14와 21의 공배수: ☐ , ☐ ……   14와 21의 최소공배수: ☐

1 주어진 수를 빈 곳에 알맞게 넣으세요.

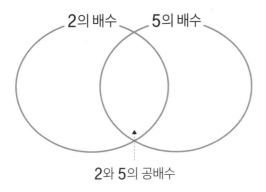

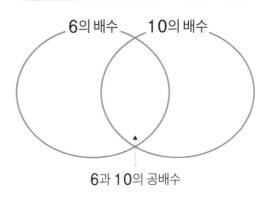

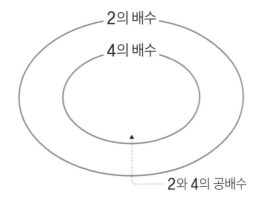

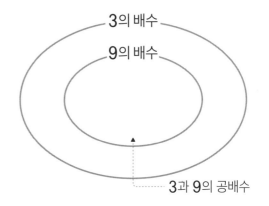

2 다음 조건에 맞는 수를 쓰세요.

4의 배수도 되고 6의 배수도 되는 수 중 40보다 크고 50보다 작은 수

3 알맞은 말을 찾아 ☐ 안에 쓰세요.

> 배수   공배수   최소공배수

어떤 두 수의 ☐☐☐ 는 어떤 두 수의 ☐☐☐ 의 ☐☐ 와 같습니다.

4 어떤 두 수의 최소공배수가 **8**입니다. 이 두 수의 공배수를 작은 수부터 **3**개만 쓰세요.

5 종호와 동민이는 일정한 빠르기로 운동장을 걷습니다. 종호는 **4**분마다, 동민이는 **5**분마다 운동장을 한 바퀴 돕니다. 두 사람이 같은 곳에서 동시에 출발하여, 출발 후 **1**시간 동안 출발점에서 몇 번 만나게 될까요?

번

6 다음은 버스 터미널에 있는 버스 출발 시간표입니다. 두 버스가 다섯 번째로 동시에 출발하는 시각은 몇 시 몇 분일까요?

출발 횟수	1	2	3	4	……
가 버스	오전 7 : 00	오전 7 : 10	오전 7 : 20	오전 7 : 30	……
나 버스	오전 7 : 00	오전 7 : 15	오전 7 : 30	오전 7 : 45	……

(오전 , 오후)   시   분

최소공배수 구하기

최소공배수를 구하는 방법을 알아봅시다.

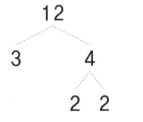 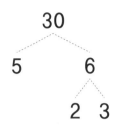

$$12 = 2 \times 2 \times 3$$

$$30 = 2 \times 3 \times 5$$

12와 30의 최소공배수 ➡ $2 \times 3 \times 2 \times 5 = \boxed{60}$

12와 30을 소수의 곱으로 나타낸 후 공통의 곱셈식 2×3에 남은 수 2, 5를 곱합니다.

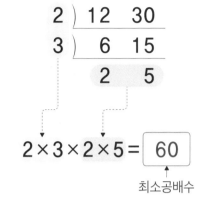

$2 \times 3 \times 2 \times 5 = \boxed{60}$
↑
최소공배수

1 이외의 공약수로 12와 30을 나누고 공약수와 남은 몫을 곱합니다.

18   45

$$18 = \boxed{} \times \boxed{} \times \boxed{} \qquad 45 = \boxed{} \times \boxed{} \times \boxed{}$$

18과 45의 최소공배수 ➡ $\boxed{} \times \boxed{} \times \boxed{} \times \boxed{} = \boxed{}$

$3 \overline{)\ 18 \quad 45}$

$\boxed{} \times \boxed{} \times \boxed{} \times \boxed{} = \boxed{}$
↑
최소공배수

18 = ☐ × ☐ × ☐

24 = ☐ × ☐ × ☐ × ☐

18과 24의 최소공배수

➡ ☐ × ☐ × ☐ × ☐ × ☐ = ☐

) 18   24

---

18 = ☐ × ☐ × ☐

27 = ☐ × ☐ × ☐

18과 27의 최소공배수

➡ ☐ × ☐ × ☐ × ☐ = ☐

) 18   27

---

36 = ☐ × ☐ × ☐ × ☐

54 = ☐ × ☐ × ☐ × ☐

36과 54의 최소공배수

➡ ☐ × ☐ × ☐ × ☐ × ☐ = ☐

) 36   54

1 다음 수들의 규칙을 찾아 빈칸에 알맞은 수를 쓰세요.

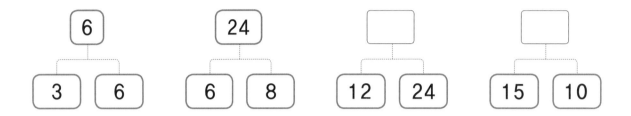

2 두 수의 최소공배수가 같은 것끼리 선으로 이으세요.

| 8 | 9 |

| 12 | 18 |

| 3 | 20 |

| 4 | 30 |

| 36 | 72 |

| 36 | 9 |

| 18 | 5 |

| 15 | 9 |

| 3 | 18 |

| 10 | 9 |

| 9 | 2 |

| 45 | 5 |

3 두 수의 최소공배수가 가장 큰 것을 찾아 ◯표 하세요.

| 7, 8 | 18, 54 | 12, 16 | 4, 26 | 6, 21 |

| 25, 15 | 7, 11 | 6, 13 | 40, 8 | 32, 24 |

4 다음과 같은 방법으로 세 수의 최소공배수를 구하세요.

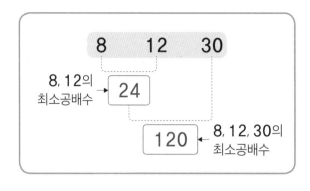

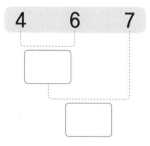

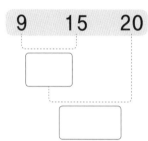

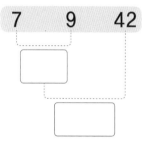

5 어떤 수를 12로 나누어도, 15로 나누어도 나누어떨어집니다. 어떤 수 중 가장 작은 수는 얼마일까요?

6 서울역에서 부산행 기차는 8분마다, 광주행 기차는 12분마다 출발합니다. 오전 8시에 부산행과 광주행 기차가 동시에 출발한다면, 다음 번에 동시에 출발하는 시각은 몇 시 몇 분일까요?

오전 _____ 시 _____ 분

1. 다음 두 수의 공약수와 최대공약수를 구하고 구한 최대공약수의 약수를 모두 쓰세요.

   | 75 | 60 |

   공약수: _____

   최대공약수: _____

   최대공약수의 약수: _____

2. 초콜릿 64개와 사탕 48개를 최대한 많은 학생들에게 남김없이 똑같이 나누어 주려고 합니다. 최대 몇 명에게 나누어 줄 수 있을까요?

   _____ 명

3. 규칙을 찾아 빈칸에 알맞은 수를 쓰세요.

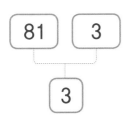

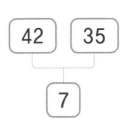

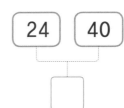

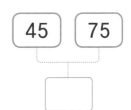

4　연필 90자루와 지우개 54개를 최대한 많은 학생들에게 남김없이 똑같이 나누어 주려고 합니다. 학생 1명이 연필과 지우개를 각각 몇 개씩 받을 수 있을까요?

연필: _____ 자루, 지우개: _____ 개

5　다음 조건에 맞는 수를 쓰세요.

> 5의 배수도 되고 7의 배수도 되는 수 중 100보다 크고 110보다 작은 수

> 24의 배수이면서 32의 배수인 수 중 100보다 작은 100에 가장 가까운 수

_____

_____

6　주어진 수를 빈 곳에 알맞게 넣으세요.

3	4	6	8	9
12	15	16	18	24

6	12	18	24	30
36	42	48	54	60

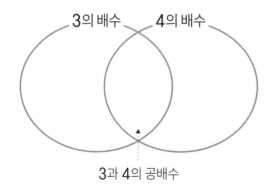

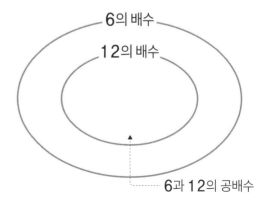

7 세 수의 최소공배수를 구하세요.

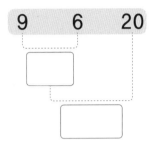

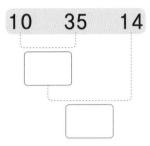

8 어떤 두 수의 최소공배수가 14입니다. 이 두 수의 공배수를 작은 수부터 3개만 쓰세요.

9 어떤 수를 36으로 나누어도, 30으로 나누어도 나누어떨어집니다. 어떤 수 중 가장 작은 수는 얼마일까요?

10 진영이는 2일마다, 민수는 4일마다, 현지는 5일마다 수영장에 갑니다. 8월 1일에 세 친구가 모두 수영장에 갔다면, 다음 번에 모두 수영장에 가는 날은 몇 월 며칠일까요?

                                                      월   일

4주차

약수와 배수의
활용

최대공약수와 최소공배수 활용하기

1일   **381 • 최대공약수와 최소공배수** ······· **66**

2일   **382 • 최대공약수가 같은 두 수** ········ **70**

3일   **383 • 배수판정법과 나머지** ············· **74**

4일   **384 • 과부족 문제** ······························· **78**

5일   **형성평가** ································· **82**

최대공약수와 최소공배수

두 수의 최대공약수와 최소공배수를 구하고, 최대공약수와 최소공배수의 관계를 알아봅시다.

$12 = \boxed{2} \times \boxed{2} \times \boxed{3}$ 　　최대공약수: $\boxed{2} \times \boxed{3} = \boxed{6}$

$18 = \boxed{2} \times \boxed{3} \times \boxed{3}$ 　　최소공배수: $\boxed{2} \times \boxed{3} \times \boxed{2} \times \boxed{3} = \boxed{36}$

두 수의 곱: $\boxed{12} \times \boxed{18} = \boxed{216}$ ◄----- 같습니다.

최대공약수와 최소공배수의 곱: $\boxed{6} \times \boxed{36} = \boxed{216}$

두 수의 곱과 최대공약수와 최소공배수의 곱은 같습니다. 이를 이용하여 최대공약수, 최소공배수를 구할 수 있습니다.

(최대공약수) = (두 수의 곱) ÷ (최소공배수), (최소공배수) = (두 수의 곱) ÷ (최대공약수)

$30 = \boxed{} \times \boxed{} \times \boxed{}$ 　　최대공약수: $\boxed{} \times \boxed{} = \boxed{}$

$45 = \boxed{} \times \boxed{} \times \boxed{}$ 　　최소공배수: $\boxed{} \times \boxed{} \times \boxed{} \times \boxed{} = \boxed{}$

두 수의 곱: $\boxed{} \times \boxed{} = \boxed{}$

최대공약수와 최소공배수의 곱: $\boxed{} \times \boxed{} = \boxed{}$

$18 = \boxed{} \times \boxed{} \times \boxed{}$ 　　최대공약수: $\boxed{} \times \boxed{} = \boxed{}$

$42 = \boxed{} \times \boxed{} \times \boxed{}$ 　　최소공배수: $\boxed{} \times \boxed{} \times \boxed{} \times \boxed{} = \boxed{}$

두 수의 곱: $\boxed{} \times \boxed{} = \boxed{}$

최대공약수와 최소공배수의 곱: $\boxed{} \times \boxed{} = \boxed{}$

9　15　최대공약수: 3

최소공배수: 9 × 15 ÷ 3 = ☐

최대공약수를 구한 다음
최대공약수와 최소공배수의
관계를 이용하여
최소공배수를 구하세요.

10　15　최대공약수: ☐

최소공배수: ☐ × ☐ ÷ ☐ = ☐

8　6　최대공약수: ☐

최소공배수: ☐ × ☐ ÷ ☐ = ☐

36　24　최대공약수: ☐

최소공배수: ☐ × ☐ ÷ ☐ = ☐

30　42　최대공약수: ☐

최소공배수: ☐ × ☐ ÷ ☐ = ☐

28　21　최대공약수: ☐

최소공배수: ☐ × ☐ ÷ ☐ = ☐

1 최대공약수와 최소공배수의 관계를 이용하여 빈칸에 알맞은 수를 쓰세요.

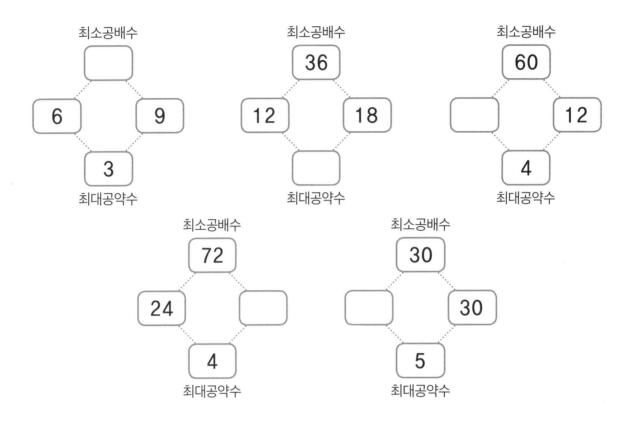

2 다음과 같은 규칙으로 빈칸에 알맞은 수를 쓰세요.

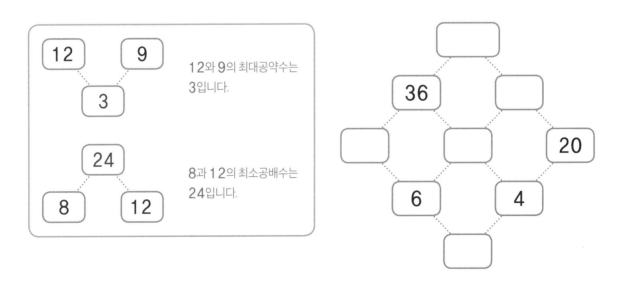

12와 9의 최대공약수는 3입니다.

8과 12의 최소공배수는 24입니다.

3 어떤 두 수의 곱은 720이고, 최대공약수는 6입니다. 이 두 수의 최소공배수는 얼마일까요?

_____

4 두 수 36과 54의 최소공배수는 최대공약수의 몇 배일까요?

_____ 배

5 두 자리 수인 두 수의 최대공약수가 7, 최소공배수가 42입니다. 두 수를 찾아봅시다.

두 수의 곱을 소수의 곱으로 나타내세요.

$$\boxed{} \times \boxed{} \times \boxed{} \times \boxed{}$$

최대공약수가 7이 되도록 두 가지 방법으로 두 수를 나누세요.

방법1 ┌ 7
      └ $7 \times \boxed{} \times \boxed{} = \boxed{}$

방법2 ┌ $7 \times \boxed{} = \boxed{}$
      └ $7 \times \boxed{} = \boxed{}$

두 수는 모두 두 자리 수입니다. 조건에 맞는 두 수를 쓰세요.

_____ , _____

같은 방법을 사용하여 최대공약수가 5, 최소공배수가 105인 두 자리 수 두 개를 찾으세요.

_____ , _____

최대공약수가 같은 두 수

개념
원리

최대공약수가 같은 두 수를 알아봅시다.

$$18 = \boxed{2} \times \boxed{3} \times \boxed{3}$$
$$24 = \boxed{2} \times \boxed{2} \times \boxed{2} \times \boxed{3}$$

최대공약수: $\boxed{2} \times \boxed{3} = \boxed{6}$

같습니다.

$$18 = \boxed{2} \times \boxed{3} \times \boxed{3}$$
$$\boxed{6} = \boxed{2} \times \boxed{3}$$
↑
$24 - 18$

최대공약수: $\boxed{2} \times \boxed{3} = \boxed{6}$

24와 18의 최대공약수는 18과 6(=24−18)의 최대공약수와 같습니다.
즉, 두 수의 최대공약수는 한 수와 두 수의 차의 최대공약수와 같습니다.

$$28 = \boxed{} \times \boxed{} \times \boxed{}$$
$$36 = \boxed{} \times \boxed{} \times \boxed{} \times \boxed{}$$

최대공약수: $\boxed{} \times \boxed{} = \boxed{}$

$$28 = \boxed{} \times \boxed{} \times \boxed{}$$
$$\boxed{} = \boxed{} \times \boxed{} \times \boxed{}$$
↑
$36 - 28$

최대공약수: $\boxed{} \times \boxed{} = \boxed{}$

$$60 = \boxed{} \times \boxed{} \times \boxed{} \times \boxed{}$$
$$45 = \boxed{} \times \boxed{} \times \boxed{}$$

최대공약수: $\boxed{} \times \boxed{} = \boxed{}$

$$60 = \boxed{} \times \boxed{} \times \boxed{} \times \boxed{}$$
$$\boxed{} = \boxed{} \times \boxed{}$$
↑
$60 - 45$

최대공약수: $\boxed{} \times \boxed{} = \boxed{}$

의 최대공약수 **2**

$32 - 30$

최대공약수가 같은
두 수를 이용하여
최대공약수를 구하세요.

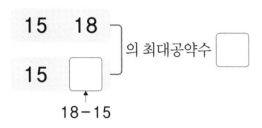

의 최대공약수 ▢

$18 - 15$

의 최대공약수 ▢

$75 - 60$

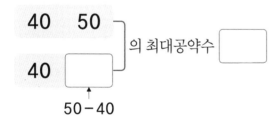

의 최대공약수 ▢

$50 - 40$

94 98

94 ▢

의 최대공약수 ▢

$98 - 94$

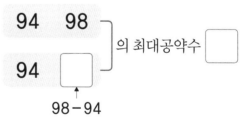

의 최대공약수 ▢

$63 - 42$

88 99

88 ▢

의 최대공약수 ▢

$99 - 88$

1 최대공약수가 같은 것끼리 선으로 이으세요.

75	50
75	55
75	30

75	20
75	25
45	30

30	15
50	25
55	20

2 다음과 같이 최대공약수가 같은 두 수를 이용하여 두 수의 최대공약수를 구하세요.

$\underline{)\ 812 \quad\ 868}$

⬇

$2\ \underline{)\ 812 \qquad 56}$ ← 868-812
$2\ \underline{)\ 406 \qquad 28}$
$7\ \underline{)\ 203 \qquad 14}$
$\qquad\ \ 29 \qquad\ \ 2$

최대공약수: $2 \times 2 \times 7 = 28$

$\underline{)\ 630 \quad\ 642}$

⬇

$\underline{)\ 630}$

최대공약수: _____

$\underline{)\ 900 \quad\ 924}$

⬇

$\underline{)\ 900}$

최대공약수: _____

$\underline{)\ 882 \quad\ 918}$

⬇

$\underline{)\ 882}$

최대공약수: _____

3 두 수의 최대공약수가 다른 것을 찾아 ✕표 하세요.

96, 102	90, 84	84, 78	78, 72	70, 76

88, 92	80, 76	48, 52	8, 12	50, 54

4 다음 두 수의 최대공약수를 간단히 구해 봅시다.

2769	91

2769에서 91의 배수를 뺀 수와 91의 최대공약수는 2769와 91의 최대공약수와 같습니다.
2769에서 $91 \times 30 = 2730$을 뺀 수를 이용하여 2769와 91의 최대공약수를 구하세요.

$\overline{)\ 2769\quad 91\ }$ ➡ $\overline{)\ \boxed{}\quad 91\ }$ 최대공약수: _____

위와 같은 방법을 사용하여 다음 두 수의 최대공약수를 구하세요.

$\overline{)\ 5719\quad 57\ }$ ➡ $\overline{)\ \boxed{}\quad 57\ }$ 최대공약수: _____

배수판정법과 나머지

배수판정법을 이용하여 나머지를 구해 봅시다.

872보다 크고 3으로 나누어떨어지는 수 중 가장 작은 수는 | 873 | 입니다.

872를 3으로 나눈 나머지는 | 2 | 입니다.

673보다 크고 4로 나누어떨어지는 수 중 가장 작은 수는 | 676 | 입니다.

673을 4로 나눈 나머지는 | 1 | 입니다.

872의 각 자리 숫자의 합은 $8+7+2=17$이므로 3의 배수가 아닙니다.
일의 자리 숫자에 1을 더해주면 각 자리 숫자의 합이 $8+7+3=18$이므로 3의 배수가 됩니다.

564보다 크고 5로 나누어떨어지는 수 중 가장 작은 수는 |　　| 입니다.

564를 5로 나눈 나머지는 |　| 입니다.

815보다 크고 9로 나누어떨어지는 수 중 가장 작은 수는 |　　| 입니다.

815를 9로 나눈 나머지는 |　| 입니다.

2435보다 크고 6으로 나누어떨어지는 수 중 가장 작은 수는 |　　| 입니다.

2435를 6으로 나눈 나머지는 |　| 입니다.

1955보다 크고 4로 나누어떨어지는 수 중 가장 작은 수는 |　　| 입니다.

1955를 4로 나눈 나머지는 |　| 입니다.

219	5
4	

713	2

왼쪽 수를 오른쪽 수로 나누었을 때
나머지를 아래에 쓰세요.

815	3

361	6

853	9

1025	4

8613	5

2867	3

7108	9

9507	2

1005	6

7924	3

1961	4

5943	9

1 나머지가 같은 것끼리 선으로 이으세요.

999÷2	524÷9	141÷7
866÷4	766÷5	802÷8
973÷5	567÷6	516÷9

5442÷7	7561÷11	6691÷9
9829÷5	5387÷6	4673÷5
7691÷9	6339÷8	9975÷10

2 □안에 알맞은 수에 모두 ◯표 하세요.

1□82는 3으로 나누었을 때 나머지가 2입니다.

0 1 2 3 4 5 6 7 8 9

27□3은 4로 나누었을 때 나머지가 3입니다.

0 1 2 3 4 5 6 7 8 9

951□는 5로 나누었을 때 나머지가 1입니다.

0 1 2 3 4 5 6 7 8 9

□598은 9로 나누었을 때 나머지가 7입니다.

0 1 2 3 4 5 6 7 8 9

3 다음 수를 ◯ 안의 수로 나눈 나머지는 얼마일까요?

(5) ········ 1925044120124   나머지: _____

(8) ········ 1025482314007   나머지: _____

(9) ········ 2001302451 0210   나머지: _____

4 다음 수 카드 중 3장을 사용하여 조건에 맞는 세 자리 수를 모두 만드세요.

3으로 나누면 나머지가 1인수: _____

4로 나누면 나머지가 1인수: _____

5로 나누면 나머지가 1인수: _____

5 14와 17을 어떤 수로 나누면 나머지가 모두 2입니다. 어떤 수를 구하세요.

_____

과부족 문제

개념
원리

과부족 문제를 해결하는 방법을 알아봅시다.

어떤 수로 31을 나누면 3이 남고, 40을 나누면 2가 모자랍니다. 어떤 수를 모두 구하세요.

어떤 수로 31을 나누면 3이 남습니다. ➡ 어떤 수로 $\boxed{28}$ 을 나누면 나누어떨어집니다.

어떤 수로 40을 나누면 2가 모자랍니다. ➡ 어떤 수로 $\boxed{42}$ 를 나누면 나누어떨어집니다.

어떤 수로 28과 42를 나누면 모두 나누어떨어집니다.

➡ 어떤 수는 $\boxed{28}$ 과 $\boxed{42}$ 의 공약수입니다.

28과 42의 공약수 ➡ <u>1, 2, 7, 14</u>

나누는 수는 나머지보다 커야 하므로 어떤 수는 $\boxed{7}$, $\boxed{14}$ 입니다.

어떤 수를 4로 나누면 1이 남고, 6으로 나누면 1이 남습니다. 어떤 수 중 가장 작은 수는 얼마일까요?

어떤 수를 4로 나누면 1이 남습니다. ➡ 어떤 수는 $\boxed{}$ 의 배수보다 $\boxed{}$ 큰 수입니다.

어떤 수를 6으로 나누면 1이 남습니다. ➡ 어떤 수는 $\boxed{}$ 의 배수보다 $\boxed{}$ 큰 수입니다.

어떤 수는 $\boxed{}$ 와 $\boxed{}$ 의 공배수보다 $\boxed{}$ 큰 수입니다.

4와 6의 공배수 ➡ _____

4와 6의 공배수보다 1 큰 수 ➡ _____

따라서 어떤 수 중 가장 작은 수는 $\boxed{}$ 입니다.

어떤 수로 27을 나누면 3이 남고, 21을 나누면 3이 남습니다. 어떤 수 중 가장 큰 수는 얼마일까요?

어떤 수는 [ ]와 [ ]의 (최대공약수 , 최소공배수)이므로

어떤 수는 [ ]입니다.

어떤 수를 6으로 나누면 3이 모자라고, 8로 나누면 3이 모자랍니다. 어떤 수 중 가장 작은 수는 얼마일까요?

어떤 수는 [ ]과 [ ]의 (최대공약수 , 최소공배수)보다 [ ] 작은 수이므로

어떤 수는 [ ]입니다.

어떤 수로 49를 나누면 4가 남고, 25를 나누면 5가 모자랍니다. 어떤 수 중 가장 큰 수는 얼마일까요?

어떤 수는 [ ]와 [ ]의 (최대공약수 , 최소공배수)이므로

어떤 수는 [ ]입니다.

어떤 수를 9로 나누면 7이 남고, 15로 나누면 7이 남습니다. 어떤 수 중 가장 작은 수는 얼마일까요?

어떤 수는 [ ]와 [ ]의 (최대공약수 , 최소공배수)보다 [ ] 큰 수이므로

어떤 수는 [ ]입니다.

1 어떤 수가 될 수 있는 수를 모두 쓰세요.

33과 28을 어떤 수로 나누면 나머지가 모두 3이 됩니다.

어떤 수: _____

67을 어떤 수로 나누면 나머지가 3이고, 76을 나누면 나머지가 4입니다.

어떤 수: _____

어떤 수로 35를 나누면 3이 남고, 54를 나누면 2가 모자랍니다.

어떤 수: _____

2 어떤 수 중 가장 작은 수를 구하세요.

어떤 수를 15로 나누어도 5가 남고, 20으로 나누어도 5가 남습니다.

어떤 수: _____

어떤 수를 8로 나누면 5가 모자라고, 6으로 나누어도 5가 모자랍니다.

어떤 수: _____

12와 15로 어떤 수를 나누면 나머지가 7로 같습니다.

어떤 수: _____

3 43과 61을 어떤 수로 나누면 나머지가 모두 7입니다. 어떤 수가 될 수 있는 수들의 합을 구하세요.

_____

4 3, 4, 5 중 어느 수로 나누어도 나머지가 항상 2인 수 중 가장 작은 수는 얼마일까요?

_____

5 학급 문고의 책을 7권씩 세면 5권이 남고 9권씩 세어도 역시 5권이 남습니다. 학급 문고의 책이 100권 보다는 많고, 150권보다는 적다고 할 때 책은 모두 몇 권 있을까요?

_____ 권

6 사과 37개와 귤 39개를 학생들에게 똑같이 나누어 주면 사과는 2개가 남고 귤은 3개가 모자랍니다. 학생은 모두 몇 명일까요?

_____ 명

1 다음과 같은 규칙으로 빈칸에 알맞은 수를 쓰세요.

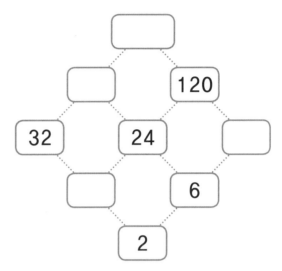

2 두 수 64와 72의 최소공배수는 최대공약수의 몇 배일까요?

_____ 배

3 최대공약수가 같은 것끼리 선으로 이으세요.

90	40
85	40
45	75

45	40
50	40
30	45

10	40
15	60
5	40

4 두 수의 최대공약수가 다른 것을 찾아 ✕표 하세요.

| 110, 30 | 490, 30 | 520, 30 | 340, 30 | 750, 30 |

| 99, 21 | 147, 21 | 21, 315 | 21, 483 | 861, 21 |

5 ☐ 안에 알맞은 수에 모두 ◯표 하세요.

473☐는 8로 나누었을 때 나머지가 3입니다.

0 1 2 3 4 5 6 7 8 9

6☐45는 9로 나누었을 때 나머지가 5입니다.

0 1 2 3 4 5 6 7 8 9

6 다음 수를 ◯ 안의 수로 나눈 나머지는 얼마일까요?

③ ······ 216556191203   나머지: _____

④ ······ 56281048849   나머지: _____

⑨ ······ 30312345657   나머지: _____

7 어떤 수가 될 수 있는 수를 모두 쓰세요.

66과 42를 어떤 수로 나누면 나머지가 모두 2가 됩니다.

어떤 수: _____

110과 65를 어떤 수로 나누면 나머지가 모두 2가 됩니다.

어떤 수: _____

8 어떤 수 중 가장 작은 수를 구하세요.

어떤 수를 22로 나누어도 4가 남고, 6으로 나누어도 4가 남습니다.

어떤 수: _____

어떤 수를 14로 나누어도 3이 남고, 18로 나누어도 3이 남습니다.

어떤 수: _____

9 학생을 8명씩 줄 세우면 3명이 남고 6명씩 세우면 역시 3명이 남습니다. 학생이 200명보다는 많고, 220명보다는 적다고 할 때 학생은 모두 몇 명일까요?

_____ 명

상위권으로 가는 문제 해결 연산 학습지

정답

응용연산

D4
초4 ~ 초5

약수와 배수

Creative to Math
씨투엠

정답 및 길잡이

6·7쪽 · 1일 369 C · 약수

개념

약수에 대해 알아봅시다.

$6 \div 1 = \boxed{6}$ $6 \div 2 = \boxed{3}$

$6 \div 3 = \boxed{2}$ $6 \div 4 = \boxed{1} \cdots \boxed{2}$

$6 \div 5 = \boxed{1} \cdots \boxed{1}$ $6 \div 6 = \boxed{1}$ 6의 약수 ➡ 1, 2, 3, 6

6은 1, 2, 3, 6으로 나누어떨어집니다. 이때 1, 2, 3, 6을 6의 약수라고 합니다.
약수는 어떤 수를 나누었을 때 나누어떨어지게 하는 수입니다.

$3 \div 1 = \boxed{3}$ $8 \div 1 = \boxed{8}$

$3 \div 2 = \boxed{1} \cdots \boxed{1}$ $8 \div 2 = \boxed{4}$

$3 \div 3 = \boxed{1}$ $8 \div 3 = \boxed{2} \cdots \boxed{2}$

3의 약수 ➡ 1, 3 $8 \div 4 = \boxed{2}$

  $8 \div 5 = \boxed{1} \cdots \boxed{3}$

$4 \div 1 = \boxed{4}$ $8 \div 6 = \boxed{1} \cdots \boxed{2}$

$4 \div 2 = \boxed{2}$ $8 \div 7 = \boxed{1} \cdots \boxed{1}$

$4 \div 3 = \boxed{1} \cdots \boxed{1}$ $8 \div 8 = \boxed{1}$

$4 \div 4 = \boxed{1}$ 8의 약수 ➡ 1, 2, 4, 8

4의 약수 ➡ 1, 2, 4

$9 = \boxed{1} \times \boxed{9}$ $9 = \boxed{3} \times \boxed{3}$

9의 약수 ➡ 1, 3, 9

두 수의 곱으로 나타내고 약수를 구해 보세요. 단, 두 수의 곱이 순서만 다른 것은 같은 것으로 보고 약수는 작은 수부터 씁니다.

$15 = \boxed{1} \times \boxed{15}$ $15 = \boxed{3} \times \boxed{5}$

15의 약수 ➡ 1, 3, 5, 15

$12 = \boxed{1} \times \boxed{12}$ $12 = \boxed{2} \times \boxed{6}$ $12 = \boxed{3} \times \boxed{4}$

12의 약수 ➡ 1, 2, 3, 4, 6, 12

$16 = \boxed{1} \times \boxed{16}$ $16 = \boxed{2} \times \boxed{8}$ $16 = \boxed{4} \times \boxed{4}$

16의 약수 ➡ 1, 2, 4, 8, 16

$32 = \boxed{1} \times \boxed{32}$ $32 = \boxed{2} \times \boxed{16}$ $32 = \boxed{4} \times \boxed{8}$

32의 약수 ➡ 1, 2, 4, 8, 16, 32

8·9쪽 · 응용연산

1 주어진 수의 약수가 아닌 수에 모두 ✕표 하세요.

28: ✕ 28 / 7 1 14 / ✕
35: ✕ 1 / 7 5 ✕ / 35
30: 5 10 / 6 3 ✕ / ✕

2 약수를 이용하여 가로, 세로로 두 수의 곱이 상자 밖의 수가 되도록 빈칸에 알맞은 수를 넣으세요.

```
      2  7  → 14
   8     3  → 24
   5  6     → 30
   ↓  ↓  ↓
   40 12 21
```

```
   3  7     → 21
   9     5  → 45
      4  2  → 8
   ↓  ↓  ↓
   27 28 10
```

```
   2     5  → 10        또는
      4  8  → 32     1     10
   3  6     → 18     8  4
   ↓  ↓  ↓           6  3
   6 24 40
```

```
      6  9  → 54
   4  1     → 4
   3     5  → 15
   ↓  ↓  ↓
   12  6 45
```

3 85의 약수 중에서 가장 작은 수와 가장 큰 수를 쓰세요.

가장 작은 수: 1 , 가장 큰 수: 85

4 다음 수를 찾으세요.

· 36의 약수입니다.
· 18의 약수가 아닙니다.
· 십의 자리 숫자는 1입니다.
→ 12

· 48의 약수입니다.
· 이 수의 약수를 모두 더하면 60입니다.
→ 24

5 6의 약수 중 6을 뺀 수들의 합은 6입니다.

6의 약수: 1, 2, 3, 6 $1 + 2 + 3 = 6$

25보다 크고 30보다 작은 수 중에서 자기 자신을 뺀 약수를 더했을 때, 자기 자신이 되는 수는 무엇일까요?

→ 28

28의 약수: 1, 2, 4, 7, 14, 28

$\rightarrow 1 + 2 + 4 + 7 + 14 = 28$

6 연필이 18자루 있습니다. 똑같이 나누어 가질 수 있는 사람 수를 모두 찾아 ◯표 하세요.

(1명) (2명) (3명) 4명 (6명) 8명 (9명) (18명)

370 배수

개념
원리

배수를 작은 수부터 차례로 써 봅시다.

3의 배수 ➡ 3, 6 , 9 , 12 , 15 , 18 , 21 ……

3을 1배, 2배, 3배 …… 한 수 3 6 9 …… 를 3의 배수라고 합니다. 3의 배수 중 가장 작은 수는 3입니다.

4의 배수 ➡ 4, 8 , 12 , 16 , 20 , 24 , 28 ……

4를 1배, 2배, 3배 …… 한 수 4, 8, 12 …… 를 4의 배수라고 합니다. 4의 배수 중 가장 작은 수는 4입니다.

5의 배수 ➡ 5, 10 , 15 , 20 , 25 , 30 , 35 ……

6의 배수 ➡ 6, 12 , 18 , 24 , 30 , 36 , 42 ……

7의 배수 ➡ 7, 14 , 21 , 28 , 35 , 42 , 49 ……

8의 배수 ➡ 8, 16 , 24 , 32 , 40 , 48 , 56 ……

10의 배수 ➡ 10, 20 , 30 , 40 , 50 , 60 , 70 ……

11의 배수 ➡ 11, 22 , 33 , 44 , 55 , 66 , 77 ……

두 수의 곱으로 나타내고
□ 안에 알맞은 수를 쓰세요.

$10 = \boxed{1} \times \boxed{10}$ $\qquad$ $10 = \boxed{2} \times \boxed{5}$

10은 $\boxed{1}$, $\boxed{2}$, $\boxed{5}$, $\boxed{10}$ 의 배수입니다.

$\boxed{1}$, $\boxed{2}$, $\boxed{5}$, $\boxed{10}$ 은 10의 약수입니다.

$18 = \boxed{1} \times \boxed{18}$ $\quad$ $18 = \boxed{2} \times \boxed{9}$ $\quad$ $18 = \boxed{3} \times \boxed{6}$

18은 $\boxed{1}$, $\boxed{2}$, $\boxed{3}$, $\boxed{6}$, $\boxed{9}$, $\boxed{18}$ 의 배수입니다.

$\boxed{1}$, $\boxed{2}$, $\boxed{3}$, $\boxed{6}$, $\boxed{9}$, $\boxed{18}$ 은 18의 약수입니다.

$20 = \boxed{1} \times \boxed{20}$ $\quad$ $20 = \boxed{2} \times \boxed{10}$ $\quad$ $20 = \boxed{4} \times \boxed{5}$

20은 $\boxed{1}$, $\boxed{2}$, $\boxed{4}$, $\boxed{5}$, $\boxed{10}$, $\boxed{20}$ 의 배수입니다.

$\boxed{1}$, $\boxed{2}$, $\boxed{4}$, $\boxed{5}$, $\boxed{10}$, $\boxed{20}$ 은 20의 약수입니다.

$28 = \boxed{1} \times \boxed{28}$ $\quad$ $28 = \boxed{2} \times \boxed{14}$ $\quad$ $28 = \boxed{4} \times \boxed{7}$

28은 $\boxed{1}$, $\boxed{2}$, $\boxed{4}$, $\boxed{7}$, $\boxed{14}$, $\boxed{28}$ 의 배수입니다.

$\boxed{1}$, $\boxed{2}$, $\boxed{4}$, $\boxed{7}$, $\boxed{14}$, $\boxed{28}$ 은 28의 약수입니다.

응용연산

1 다음 수 배열표에서 5의 배수에는 ○표, 9의 배수에는 △표 하세요.

1	2	3	4	⑤	6	7	8	⑨△	⑩
11	12	13	14	⑮	16	17	⑱△	19	⑳
21	22	23	24	㉕	26	㉗△	28	29	㉚
31	32	33	34	㉟	㊱△	37	38	39	㊵
41	42	43	44	㊺△	46	47	48	49	㊿

2 다음 조건에 맞는 배수를 쓰세요.

· 4의 배수입니다.
· 20보다 크고 28보다 작습니다.

24

· 9의 배수 중 가장 작은 수입니다.

9

· 5의 배수입니다.
· 이 수의 약수를 모두 더하면 24입니다.

15

· 6의 배수입니다.
· 이 수의 약수를 모두 더하면 39입니다.

18

3 어떤 수의 배수를 가장 작은 수부터 차례로 쓴 것입니다. 13번째 수는 얼마일까요?

7, 14, 21, 28, 35 ……   91

4 자연수를 1부터 100까지 차례로 늘어놓은 다음 5의 배수를 모두 지웁니다. 남은 수 중 20번째 작은 수는 얼마일까요?

24

5 어떤 수의 배수 중 5번째 작은 수와 6번째 작은 수의 합은 99입니다. 5번째 배수와 6번째 배수는 각각 얼마일까요?

45 , 54

6 버스 정류장에서 도서관으로 가는 버스가 오전 7시부터 8분 간격으로 출발합니다. 오전 8시까지 버스는 모두 몇 번 출발할까요?

8 번

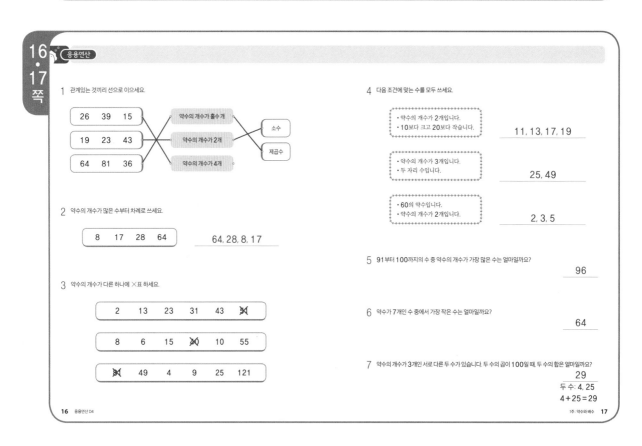

14·15쪽

다음 수의 약수와 그 개수를 구하고 공통점을 알아봅시다.

②	1, 2	2 개		④	1, 2, 4	3 개
⑤	1, 5	2 개		⑨	1, 3, 9	3 개
⑪	1, 11	2 개		⑯	1, 2, 4, 8, 16	5 개

약수의 개수는 (②, 4)개입니다.
약수가 1과 자기 자신 뿐인 수를 소수라고 합니다.
소수의 약수의 개수는 2개입니다.

약수의 개수는 (홀수, 짝수)개입니다.
1(1×1), 4(2×2), 9(3×3), 16(4×4) ……와
같이 자기 자신을 곱해서 나온 수를 제곱수라고 합니다.
제곱수의 약수의 개수는 홀수 개입니다.

③	1, 3	2 개		①	1	1 개
⑦	1, 7	2 개		㉕	1, 5, 25	3 개
⑬	1, 13	2 개		㊾	1, 7, 49	3 개

약수의 개수는 (② 4)개입니다.

약수의 개수는 (홀수, 짝수)개입니다.

⑧	1, 2, 4, 8	4 개		⑥	1, 2, 3, 6	4 개
⑮	1, 3, 5, 15	4 개		⑩	1, 2, 5, 10	4 개
㉑	1, 3, 7, 21	4 개		⑭	1, 2, 7, 14	4 개

약수의 개수는 (2 ④)개입니다.

약수의 개수는 (홀수 , 짝수)개입니다.

약수의 개수를 쓰고, 소수 또는 제곱수를 쓰세요. 소수 또는 제곱수가 아닌 수는 ✕표 하세요.

①	1 개	제곱수			
②	2 개	소수			
③	2 개	소수			
④	3 개	제곱수			
⑤	2 개	소수	⑥	4 개	✕
⑦	2 개	소수	⑧	4 개	✕
⑨	3 개	제곱수	⑩	4 개	✕
⑪	2 개	소수	⑫	6 개	✕
⑬	2 개	소수	⑭	4 개	✕
⑮	4 개	✕	⑯	5 개	제곱수
⑰	2 개	소수	⑱	6 개	✕
⑲	2 개	소수	⑳	6 개	✕

14 응용연산 D4

1주 : 약수와 배수 15

16·17쪽

응용연산

1 관계있는 것끼리 선으로 이으세요.

| 26 39 15 |
| 19 23 43 |
| 64 81 36 |

약수의 개수가 홀수 개 → 소수
약수의 개수가 2개 → 제곱수
약수의 개수가 4개

2 약수의 개수가 많은 수부터 차례로 쓰세요.

| 8 17 28 64 | 64, 28, 8, 17

3 약수의 개수가 다른 하나에 ✕표 하세요.

| 2 13 23 31 43 ✕ |
| 8 6 15 ✕ 10 55 |
| ✕ 49 4 9 25 121 |

4 다음 조건에 맞는 수를 모두 쓰세요.

• 약수의 개수가 2개입니다.
• 10보다 크고 20보다 작습니다.
11, 13, 17, 19

• 약수의 개수가 3개입니다.
• 두 자리 수입니다.
25, 49

• 60의 약수입니다.
• 약수의 개수가 2개입니다.
2, 3, 5

5 91부터 100까지의 수 중 약수의 개수가 가장 많은 수는 얼마일까요?
96

6 약수가 7개인 수 중에서 가장 작은 수는 얼마일까요?
64

7 약수의 개수가 3개인 서로 다른 두 수가 있습니다. 두 수의 곱이 100일 때, 두 수의 합은 얼마일까요?
29
두 수: 4, 25
4+25=29

16 응용연산 D4

1주 : 약수와 배수 17

372 **C** **4일**

소수의 곱으로 나타내기

약수가 1과 자기 자신뿐인 수를 소수라고 합니다. 주어진 수를 소수의 곱으로 나타내어 봅시다.

36
6 ⑥
2 ③ 2 ③

36
4 ⑨
2 ② 3 ③

36
3 ⑫
3 ④
2 ②

$$36 = \boxed{2} \times \boxed{2} \times \boxed{3} \times \boxed{3}$$

나뭇가지 그림을 그려 소수의 곱으로 나타내는 방법을 약수나무라 합니다.
여러 가지 방법의 그림이 나오지만 결과는 같고, 소수의 곱으로 나타낼 때는 작은 수부터 씁니다.

60
6 ⑩
2 ③ 2 ⑤

60
5 ⑫
3 ④
2 ②

60
3 ⑳
5 ④
2 ②

$$60 = \boxed{2} \times \boxed{2} \times \boxed{3} \times \boxed{5}$$

54
6 ⑨
2 ③ 3 ③

54
3 ⑱
3 ⑥
2 ③

54
2 ㉗
3 ⑨
3 ③

$$54 = \boxed{2} \times \boxed{3} \times \boxed{3} \times \boxed{3}$$

약수나무를 이용하여 소수의 곱으로 나타내세요.

32
4 8
2 2 2 4
2 2

$$32 = 2 \times 2 \times 2 \times 2 \times 2$$

24
3 8
2 4
2 2

$$24 = 2 \times 2 \times 2 \times 3$$

90
3 30
3 10
2 5

$$90 = 2 \times 3 \times 3 \times 5$$

48
6 8
2 3 2 4
2 2

$$48 = 2 \times 2 \times 2 \times 2 \times 3$$

100
4 25
2 2 5 5

$$100 = 2 \times 2 \times 5 \times 5$$

약수나무는 여러 가지 방법으로 그릴 수 있습니다.

응용연산

1 다음 수를 소수의 곱으로 나타낼 때, 사용된 소수의 개수가 같은 것끼리 선으로 이으세요.

39	—	20
42	—	30
16	—	49

98		66
32		75
70		81

2 다음과 같이 아래 두 수의 곱이 위의 수가 되도록 빈칸에 알맞은 수를 쓰세요. (단, 맨 아래 칸에 들어가는 수는 모두 소수입니다.)

490
35 14
5 7 2

90
6 15
2 3 5

550
10 55
2 5 11

250
25 10
5 5 2

3 다음과 같은 방법으로 1부터 50까지의 수 중에서 소수를 모두 찾으세요.

X̶	2	3	X̶	5	X̶	7	X̶	X̶	X̶10
11	X̶2	13	X̶	X̶	X̶	17	X̶	19	X̶
X̶	X̶	23	X̶	X̶	X̶	X̶	X̶	29	X̶
31	X̶	X̶	X̶	X̶	X̶	37	X̶	X̶	X̶
41	X̶	43	X̶	X̶	X̶	47	X̶	X̶	X̶

① 1은 소수가 아니므로 ×표 합니다.
② 2를 제외한 2의 배수에 모두 ×표 합니다.
③ 3을 제외한 3의 배수에 모두 ×표 합니다.
④ 4는 ×표 되었으므로 넘어갑니다.
⑤ 5를 제외한 5의 배수에 모두 ×표 합니다.
⑥ 같은 방법으로 남은 수 중 처음 수는 남기고, 그 수의 배수에 모두 ×표 합니다.
⑦ 마지막에 남은 수가 소수가 됩니다.

50보다 작은 소수: 2, 3, 5, 7, 11, 13, 17, 19, 23, 29, 31, 37, 41, 43, 47

4 다음과 같이 5보다 큰 수는 세 소수의 합으로 나타낼 수 있습니다. 다음 수를 세 소수의 합으로 나타내세요. 덧셈 순서만 바뀐 것은 같은 것으로 봅니다.

$$16 = \boxed{2} + \boxed{3} + \boxed{11}$$
$$16 = \boxed{2} + \boxed{7} + \boxed{7}$$

$$13 = \boxed{3} + \boxed{3} + \boxed{7}$$
$$13 = \boxed{3} + \boxed{5} + \boxed{5}$$

$$19 = \boxed{5} + \boxed{7} + \boxed{7}$$
$$19 = \boxed{3} + \boxed{5} + \boxed{11}$$
$$19 = \boxed{3} + \boxed{3} + \boxed{13}$$

$$26 = \boxed{2} + \boxed{7} + \boxed{17}$$
$$26 = \boxed{2} + \boxed{5} + \boxed{19}$$
$$26 = \boxed{2} + \boxed{11} + \boxed{13}$$

22·23쪽

22 5일 형성평가

1 약수를 이용하여 가로, 세로로 두 수의 곱이 상자 밖의 수가 되도록 빈칸에 알맞은 수를 넣으세요.

2	5	→ 10
	3	9	→ 27
8		4	→ 32

↓ ↓ ↓
16 15 36

4		6	→ 24
9	2		→ 18
	8	1	→ 8

↓ ↓ ↓
36 16 6

10	2		→ 20
5		3	→ 15
	4	11	→ 44

↓ ↓ ↓
50 8 33

3		6	→ 18
	5	7	→ 35
2	9		→ 18

↓ ↓ ↓
6 45 42

2 어떤 수의 배수를 가장 작은 수부터 차례로 쓴 것입니다. 14번째 수는 얼마일까요?

9, 18, 27, 36, 45 ……   **126**

3 72의 약수 중에서 세 번째 작은 수와 두 번째 큰 수를 쓰세요.

세 번째 작은 수: **3** , 두 번째 큰 수: **36**

4 어떤 수의 배수 중 6번째 작은 수와 9번째 작은 수의 합은 90입니다. 6번째 배수와 9번째 배수는 각각 얼마일까요?

36 , **54**

5 약수의 개수가 많은 수부터 차례로 쓰세요.

| 41 | 81 | 25 | 91 | **81, 91, 25, 41**

| 27 | 64 | 13 | 12 | **64, 12, 27, 13**

6 약수의 개수가 5개인 서로 다른 두 수가 있습니다. 이 두 수의 합이 97일 때, 두 수의 차는 얼마일까요?

65
두 수: 16, 81
81 − 16 = 65

24쪽

7 아래 두 수의 곱이 위의 수가 되도록 빈칸에 알맞은 수를 쓰세요. (단, 맨 아래 칸에 들어가는 수는 모두 소수입니다.)

140
14	10
7	2	5

495
15	33
5	3	11

686
49	14
7	7	2

525
35	15
7	5	3

8 다음 수를 세 소수의 합으로 나타내세요. 덧셈 순서만 바뀐 것은 같은 것으로 봅니다.

30 = **2** + **5** + **23**
30 = **2** + **11** + **17**

31 = **7** + **7** + **17**
31 = **5** + **7** + **19**
31 = **3** + **5** + **23**
31 = **7** + **11** + **13**
31 = **3** + **11** + **17**
31 = **5** + **13** + **13**

배수 판별하기

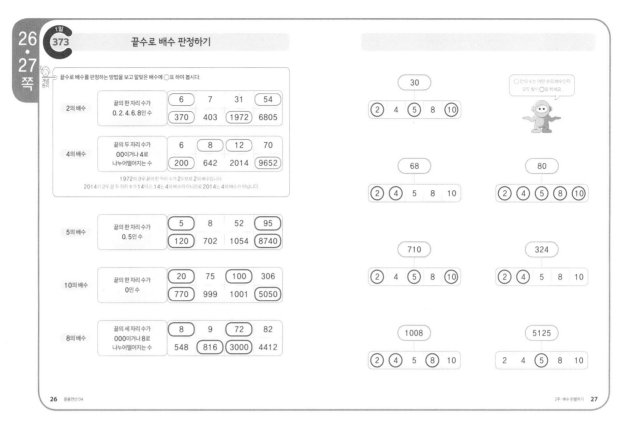

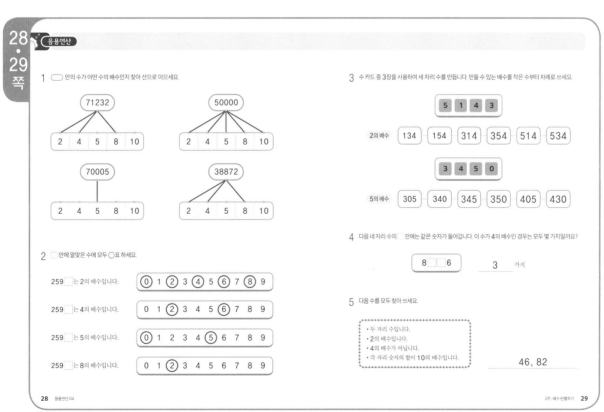

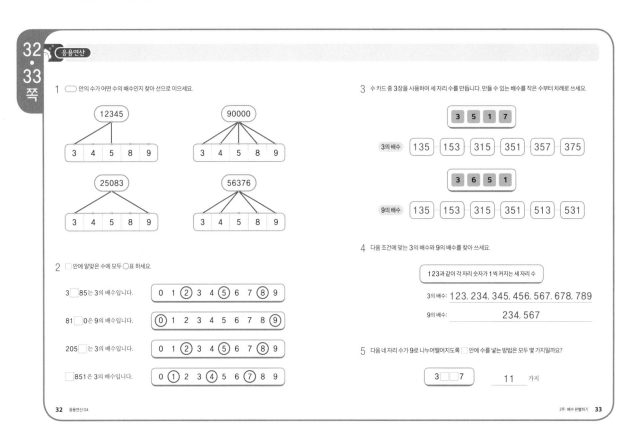

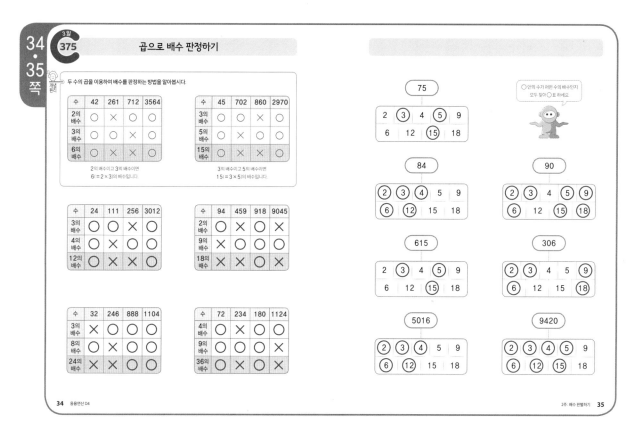

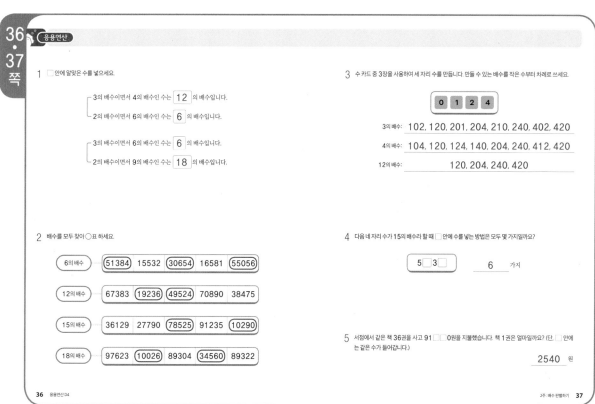

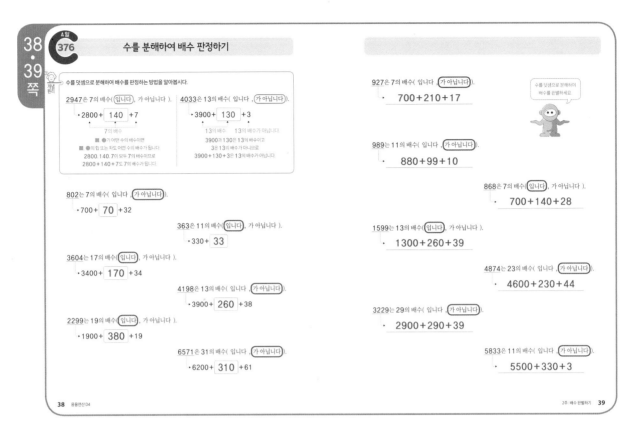

4일
376
C 수를 분해하여 배수 판정하기

수를 덧셈으로 분해하여 배수를 판정하는 방법을 알아봅시다.

2947은 7의 배수(입니다), 가 아닙니다).
· 2800+ 140 +7
7의 배수
■가 어떤 수의 배수이면
■의 합 또는 차도 어떤 수의 배수가 됩니다.
2800, 140, 7이 모두 7의 배수이므로
2800+140+7도 7의 배수가 됩니다.

4033은 13의 배수(입니다 ,가 아닙니다).
· 3900+ 130 +3
13의 배수 13의 배수가 아닙니다.
3900과 130은 13의 배수이고
3은 13의 배수가 아니므로
3900+130+3은 13의 배수가 아닙니다.

802는 7의 배수(입니다 ,가 아닙니다).
· 700+ 70 +32

363은 11의 배수(입니다), 가 아닙니다).
· 330+ 33

3604는 17의 배수(입니다), 가 아닙니다).
· 3400+ 170 +34

4198은 13의 배수(입니다 ,가 아닙니다).
· 3900+ 260 +38

2299는 19의 배수(입니다), 가 아닙니다).
· 1900+ 380 +19

6571은 31의 배수(입니다,가 아닙니다).
· 6200+ 310 +61

927은 7의 배수(입니다 ,가 아닙니다).
· 700+210+17

989는 11의 배수(입니다 ,가 아닙니다).
· 880+99+10

868은 7의 배수(입니다), 가 아닙니다).
· 700+140+28

1599는 13의 배수(입니다), 가 아닙니다).
· 1300+260+39

4874는 23의 배수(입니다 ,가 아닙니다).
· 4600+230+44

3229는 29의 배수(입니다 ,가 아닙니다).
· 2900+290+39

5833은 11의 배수(입니다 ,가 아닙니다).
· 5500+330+3

수를 덧셈으로 분해하여 배수를 판별하세요.

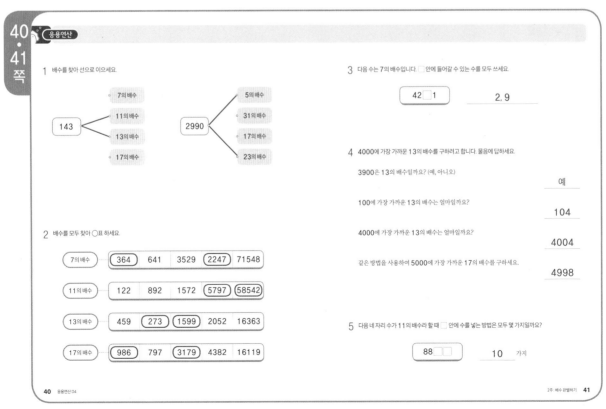

응용연산

1 배수를 찾아 선으로 이으세요.

143 — 7의 배수 / 11의 배수 / 13의 배수 / 17의 배수

2990 — 5의 배수 / 31의 배수 / 17의 배수 / 23의 배수

2 배수를 모두 찾아 ○표 하세요.

7의 배수 (364) 641 3529 (2247) 71548

11의 배수 122 892 1572 (5797) (58542)

13의 배수 459 (273) (1599) 2052 16363

17의 배수 (986) 797 (3179) 4382 16119

3 다음 수는 7의 배수입니다. □안에 들어갈 수 있는 수를 모두 쓰세요.

42□1   2, 9

4 4000에 가장 가까운 13의 배수를 구하려고 합니다. 물음에 답하세요.

3900은 13의 배수일까요? (예, 아니오)   예

100에 가장 가까운 13의 배수는 얼마일까요?   104

4000에 가장 가까운 13의 배수는 얼마일까요?   4004

같은 방법을 사용하여 5000에 가장 가까운 17의 배수를 구하세요.   4998

5 다음 네 자리 수가 11의 배수라 할 때 □안에 수를 넣는 방법은 모두 몇 가지일까요?

88□□   10 가지

형성평가

1 ◯ 안의 수가 어떤 수의 배수인지 찾아 선으로 이으세요.

44736
2 4 5 8 10

56825
2 4 5 8 10

48180
2 4 5 8 10

17164
2 4 5 8 10

2 ◯ 안에 알맞은 수에 모두 ◯표 하세요.

43◯2는 4의 배수입니다.
0 ①2③4⑤6⑦8⑨

874◯는 5의 배수입니다.
⓪1234⑤6789

1◯36은 8의 배수입니다.
0①2③4⑤6⑦8⑨

3 다음 조건에 맞는 3의 배수와 9의 배수를 모두 쓰세요.

135와 같이 각 자리 숫자가 2씩 커지는 세 자리 수

3의 배수: 135, 246, 357, 468, 579

9의 배수: 135, 468

4 다음 네 자리 수가 9로 나누어떨어지도록 ◯ 안에 수를 넣는 방법은 몇 가지일까요?

◯5◯8   **10** 가지

5 ◯ 안에 알맞은 수를 넣으세요.

┌ 9의 배수이면서 27의 배수인 수는 **27** 의 배수입니다.
└ 5의 배수이면서 3의 배수인 수는 **15** 의 배수입니다.

┌ 6의 배수이면서 4의 배수인 수는 **12** 의 배수입니다.
└ 8의 배수이면서 12의 배수인 수는 **24** 의 배수입니다.

6 과일 가게에서 귤 45개를 사고 27◯8◯ 원을 지불했습니다. 귤 1개는 얼마일까요? (단, ◯ 안에는 같은 수가 들어갑니다.)

613 원

7 다음 수는 7의 배수입니다. ◯ 안에 들어갈 수 있는 수를 모두 쓰세요.

6◯39   **1, 8**

8 배수를 모두 찾아 ◯표 하세요.

7의 배수 — 582 491 3594 (1778) (10794)

11의 배수 — (583) 887 (1078) 6342 37548

13의 배수 — 589 745 (1274) (6084) 20109

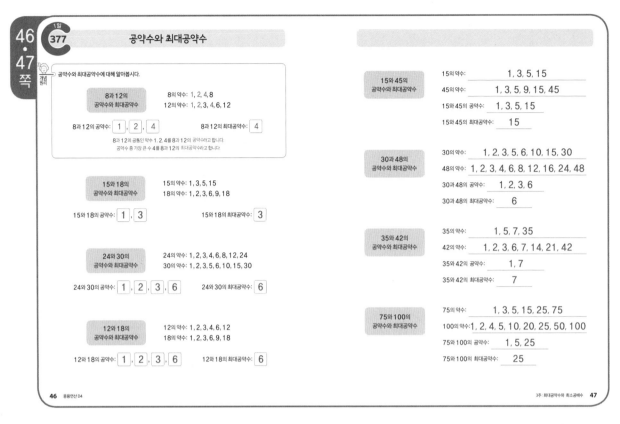

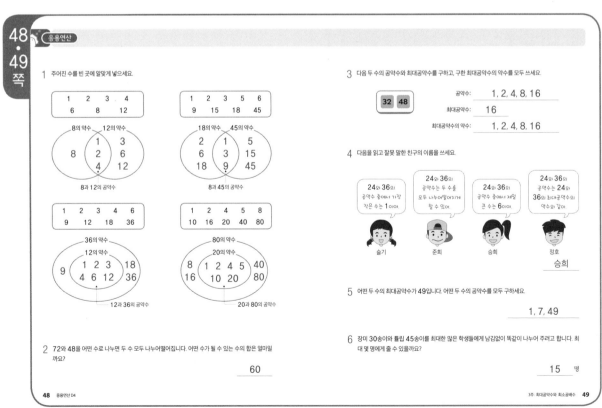

50·51쪽

378 최대공약수 구하기

개념원리

최대공약수를 구하는 방법을 알아봅시다.

```
        42                    90              2 ) 42  90
      6     7              9      10          3 ) 21  45
     2  3               3  3    2  5               7  15

  42 = 2×3×7          90 = 2×3×3×5         2 × 3 = 6
                                                  최대공약수
  42와 90의 최대공약수 ➡ 2×3 = 6
  42와 90을 소수의 곱으로 나타낸 후 공통의 곱셈식을 찾습니다.    1 이외의 공약수로 42와 90을 나누고
  2×3=6                                      공약수의 곱을 구합니다. 2×3=6
```

```
        40                    24
      4     10              4      6
     2  2   2  5           2  2   2  3

  40 = 2×2×2×5          24 = 2×2×2×3
  40과 24의 최대공약수 ➡ 2×2×2 = 8
```

```
  2 ) 40  24
  2 ) 20  12                 2 ) 20  50
  2 ) 10   6                 5 ) 10  25
        5   3                      2   5

  2 × 2 × 2 = 8              2 × 5 = 10
       최대공약수                   최대공약수
```

---

16 = 2 × 2 × 2 × 2
20 = 2 × 2 × 5
16과 20의 최대공약수 ➡ 2 × 2 = 4

例
```
  2 ) 16  20
  2 )  8  10
        4   5

  2×2=4
```

18 = 2 × 3 × 3
27 = 3 × 3 × 3
18과 27의 최대공약수 ➡ 3 × 3 = 9

例
```
  3 ) 18  27
  3 )  6   9
        2   3

  3×3=9
```

36 = 2 × 2 × 3 × 3
54 = 2 × 3 × 3 × 3
36과 54의 최대공약수 ➡ 2 × 3 × 3 = 18

例
```
  2 ) 36  54
  3 ) 18  27
  3 )  6   9
        2   3
  2×3×3=18
```

52·53쪽

응용연산

1 다음 수들의 규칙을 찾아 빈칸에 알맞은 수를 쓰세요.

9 27   24 56   13 130   24 42
   9   8   13   6

2 두 수의 최대공약수가 같은 것끼리 선으로 이으세요.

15 30	42 49		32 48	27 36
14 35	54 72		33 77	80 16
36 18	45 60		72 81	55 99

3 두 수의 최대공약수가 다른 것을 찾아 ×표 하세요.

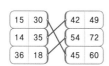

| 8, 16 | 24, 16 | 36×28 | 40, 64 | 72, 56 |

| 7, 84 | 14×28 | 49, 56 | 21, 35 | 77, 42 |

4 다음과 같은 방법으로 세 수의 최대공약수를 구하세요.

```
  2 ) 36  24  42
  3 ) 18  12  21
        6   4   7

  최대공약수: 2×3=6
```

```
  3 ) 27  63  54
  3 )  9  21  18
        3   7   6

  최대공약수: 3×3=9
```

```
  2 ) 16  24  56
  2 )  8  12  28
  2 )  4   6  14
        2   3   7

  최대공약수: 2×2×2=8
```

```
  3 ) 45  75  30
  5 ) 15  25  10
        3   5   2

  최대공약수: 3×5=15
```

5 사과 72개, 귤 30개, 배 48개를 최대 많은 학생들에게 남김없이 똑같이 나누어 주려고 합니다. 몇 명에게 나누어 줄 수 있을까요?

6 명

6 연필 2타와 공책 40권을 최대 많은 학생들에게 남김없이 똑같이 나누어 주려고 합니다. 학생 1명이 연필과 공책을 각각 몇 개씩 받을 수 있을까요?

연필: 3 자루, 공책: 5 권

정답 및 해설 **13**

3일 379 공배수와 최소공배수

공배수와 최소공배수에 대해 알아봅시다.

| 4와 6의 공배수와 최소공배수 | 4의 배수: 4, 8, 12, 16, 20, 24, 28, 32, 36 …… |
| | 6의 배수: 6, 12, 18, 24, 30, 36, 42, 48, 54 …… |

4와 6의 공배수: **12** , **24** , **36** …… 4와 6의 최소공배수: **12**

4와 6의 공통인 배수인 12, 24, 36 ……를 4와 6의 공배수라고 합니다.
공배수 중 가장 작은 수 12를 4와 6의 최소공배수라고 합니다.

| 3과 5의 공배수와 최소공배수 | 3의 배수: 3, 6, 9, 12, 15, 18, 21, 24, 27, 30 …… |
| | 5의 배수: 5, 10, 15, 20, 25, 30, 35, 40, 45, 50 …… |

3과 5의 공배수: **15** , **30** …… 3과 5의 최소공배수: **15**

| 4와 5의 공배수와 최소공배수 | 4의 배수: 4, 8, 12, 16, 20, 24, 28, 32, 36, 40 …… |
| | 5의 배수: 5, 10, 15, 20, 25, 30, 35, 40, 45, 50 …… |

4와 5의 공배수: **20** , **40** …… 4와 5의 최소공배수: **20**

| 3과 4의 공배수와 최소공배수 | 3의 배수: 3, 6, 9, 12, 15, 18, 21, 24, 27, 30 …… |
| | 4의 배수: 4, 8, 12, 16, 20, 24, 28, 32, 36, 40 …… |

3과 4의 공배수: **12** , **24** …… 3과 4의 최소공배수: **12**

6과 9의 공배수와 최소공배수

6의 배수: **6** , **12** , **18** , **24** , **30** , 36 , 42 , 48
9의 배수: **9** , **18** , **27** , **36** , **45** , 54 , 63 , 72
6과 9의 공배수: **18** , **36** …… 6과 9의 최소공배수: **18**

6과 8의 공배수와 최소공배수

6의 배수: **6** , **12** , **18** , **24** , **30** , 36 , 42 , 48
8의 배수: **8** , **16** , **24** , **32** , **40** , 48 , 56 , 64
6과 8의 공배수: **24** , **48** …… 6과 8의 최소공배수: **24**

15와 20의 공배수와 최소공배수

15의 배수: **15** , **30** , **45** , **60** , **75** , 90 , 105
20의 배수: **20** , **40** , **60** , **80** , **100** , 120 , 140
15와 20의 공배수: **60** , **120** …… 15와 20의 최소공배수: **60**

14와 21의 공배수와 최소공배수

14의 배수: **14** , **28** , **42** , **56** , **70** , 84 , 98 , 112
21의 배수: **21** , **42** , **63** , **84** , **105** , 126 , 147
14와 21의 공배수: **42** , **84** …… 14와 21의 최소공배수: **42**

응용연산

1 주어진 수를 빈 곳에 알맞게 넣으세요.

| 2 | 4 | 5 | 6 | 8 |
| 10 | 12 | 15 | 20 | 25 |

2의 배수 / 5의 배수
2 4 / **10** / 5
6 8 / **20** / 15 25
12 /

2와 5의 공배수

| 6 | 10 | 12 | 18 | 20 |
| 30 | 40 | 48 | 54 | 60 |

6의 배수 / 10의 배수
6 12 / **30** / 10
18 48 / **60** / 20
54 / 40

6과 10의 공배수

| 2 | 4 | 6 | 8 | 10 |
| 12 | 14 | 16 | 18 | 20 |

2의 배수
4의 배수
2 6 / **4 8 12** / 14
10 / **16 20** / 18

2와 4의 공배수

| 3 | 6 | 9 | 12 | 15 |
| 18 | 21 | 24 | 27 | 30 |

3의 배수
9의 배수
12 / 3
15 / **9 18** / 6 30
21 / **27** / 24

3과 9의 공배수

2 다음 조건에 맞는 수를 쓰세요.

> 4의 배수도 되고 6의 배수도 되는 수 중 40보다 크고 50보다 작은 수 **48**

3 알맞은 말을 찾아 안에 쓰세요.

> 배수   공배수   최소공배수

어떤 두 수의 **공배수** 는 어떤 두 수의 **최소공배수** 의 **배수** 와 같습니다.

4 어떤 두 수의 최소공배수가 8입니다. 이 두 수의 공배수를 작은 수부터 3개만 쓰세요.

8, 16, 24

5 종호와 동민이는 일정한 빠르기로 운동장을 걷습니다. 종호는 4분마다, 동민이는 5분마다 운동장을 한 바퀴 돕니다. 두 사람이 같은 곳에서 동시에 출발하여, 출발 후 1시간 동안 출발점에서 몇 번 만나게 될까요?

3 번

6 다음은 버스 터미널에 있는 버스 출발 시간표입니다. 두 버스가 다섯 번째로 동시에 출발하는 시각은 몇 시 몇 분일까요?

출발 횟수	1	2	3	4	……
가 버스	오전 7 : 00	오전 7 : 10	오전 7 : 20	오전 7 : 30	
나 버스	오전 7 : 00	오전 7 : 15	오전 7 : 30	오전 7 : 45	

(⨀전, 오후) **9** 시 **00** 분

4일 380 최소공배수 구하기

최소공배수를 구하는 방법을 알아봅시다.

```
     12            30              2 ) 12  30
   3    4        5    6            3 )  6  15
      2 2           2 3                  2   5
  12=2×2×3    30=2×3×5
```

12와 30의 최소공배수 ➡ 2 × 3 × 2 × 5 = 60

$2 \times 3 \times 2 \times 5 =$ 60
최소공배수

12와 30를 소수의 곱으로 나타낸 후 공통의 곱셈식 2 × 3에 남은 수 2 · 5를 곱합니다.

1 이외의 공약수로 12와 30을 나누고 공약수와 남은 몫을 곱합니다.

```
     18            45
   3    6        3    15
      2 3           3 5
  18= 2 × 3 × 3    45= 3 × 3 × 5
```

18과 45의 최소공배수 ➡ 3 × 3 × 2 × 5 = 90

```
3 ) 18  45        3 × 3 × 2 × 5 = 90
3 )  6  15                        최소공배수
      2   5
```

18= 2 × 3 × 3
24= 2 × 2 × 2 × 3
18과 24의 최소공배수
➡ 2 × 3 × 2 × 2 × 3 = 72

(예)
```
2 ) 18  24
3 )  9  12
      3   4
2×3×3×4=72
```

18= 2 × 3 × 3
27= 3 × 3 × 3
18과 27의 최소공배수
➡ 3 × 3 × 2 × 3 = 54

(예)
```
3 ) 18  27
3 )  6   9
      2   3
3×3×2×3=54
```

36= 2 × 2 × 3 × 3
54= 2 × 3 × 3 × 3
36과 54의 최소공배수
➡ 2 × 3 × 3 × 2 × 3 = 108

(예)
```
2 ) 36  54
3 ) 18  27
3 )  6   9
      2   3
2×3×3×2×3=108
```

응용연산

1 다음 수들의 규칙을 찾아 빈칸에 알맞은 수를 쓰세요.

```
    6           24           24           30
  3   6       6   8       12  24       15  10
```

2 두 수의 최소공배수가 같은 것끼리 선으로 이으세요.

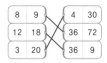

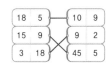

3 두 수의 최소공배수가 가장 큰 것을 찾아 ◯표 하세요.

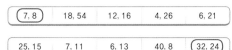

4 다음과 같은 방법으로 세 수의 최소공배수를 구하세요.

```
  9  15  20              7   9  42
    45                     63
    180                   126
```

5 어떤 수를 12로 나누어도, 15로 나누어도 나누어떨어집니다. 어떤 수 중 가장 작은 수는 얼마일까요?

60

6 서울역에서 부산행 기차는 8분마다, 광주행 기차는 12분마다 출발합니다. 오전 8시에 부산행과 광주행 기차가 동시에 출발한다면, 다음 번에 동시에 출발하는 시각은 몇 시 몇 분일까요?

오전 8 시 24 분

정답 및 해설 **15**

5일 형성평가

1 다음 두 수의 공약수와 최대공약수를 구하고 구한 최대공약수의 약수를 모두 쓰세요.

75 60

공약수: 1, 3, 5, 15

최대공약수: 15

최대공약수의 약수: 1, 3, 5, 15

2 초콜릿 64개와 사탕 48개를 최대한 많은 학생들에게 남김없이 똑같이 나누어 주려고 합니다. 최대 몇 명에게 나누어 줄 수 있을까요?

16 명

3 규칙을 찾아 빈칸에 알맞은 수를 쓰세요.

81 3   42 35   24 40   45 75

3   7   8   15

4 연필 90자루와 지우개 54개를 최대한 많은 학생들에게 남김없이 똑같이 나누어 주려고 합니다. 학생 1명이 연필과 지우개를 각각 몇 개씩 받을 수 있을까요?

연필: 5 자루, 지우개: 3 개

5 다음 조건에 맞는 수를 쓰세요.

5의 배수도 되고 7의 배수도 되는 수 중 100보다 크고 110보다 작은 수

105

24의 배수이면서 32의 배수인 수 중 100보다 작은 100에 가장 가까운 수

96

6 주어진 수를 빈 곳에 알맞게 넣으세요.

3   4   6   8   9
12 15 16 18 24

3의 배수   4의 배수
3 6   4
9 15   12   8
18   24   16

3과 4의 공배수

6   12 18 24 30
36 42 48 54 60

6의 배수
30   12의 배수   6
42   12 36 24
54   48 60   18

6과 12의 공배수

7 세 수의 최소공배수를 구하세요.

9   6   20
18
180

10 35 14
70
70

8 어떤 두 수의 최소공배수가 14입니다. 이 두 수의 공배수를 작은 수부터 3개만 쓰세요.

14, 28, 42

9 어떤 수를 36으로 나누어도, 30으로 나누어도 나누어떨어집니다. 어떤 수 중 가장 작은 수는 얼마일까요?

180

10 진영이는 2일마다, 민수는 4일마다, 현지는 5일마다 수영장에 갑니다. 8월 1일에 세 친구가 모두 수영장에 갔다면, 다음 번에 모두 수영장에 가는 날은 몇 월 며칠일까요?

8 월 21 일

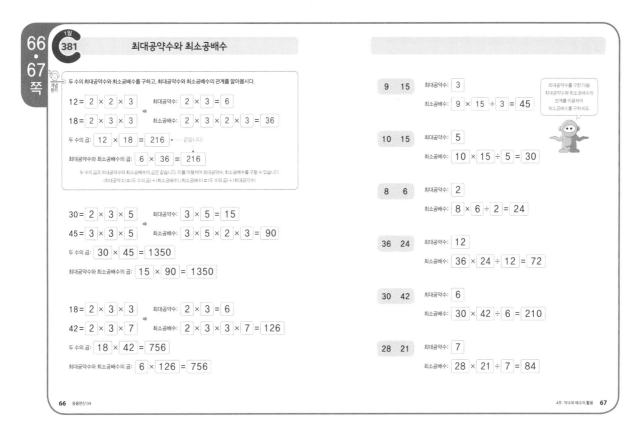

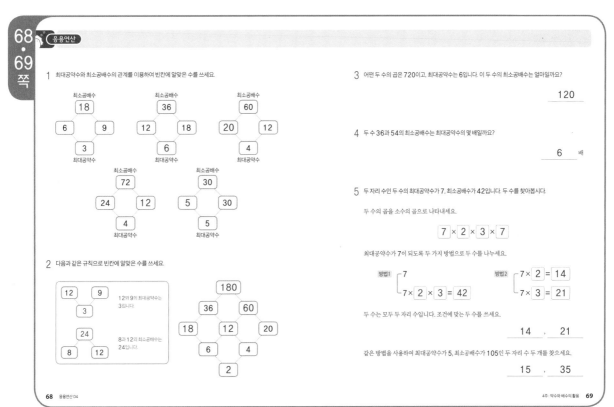

2일

382 C

최대공약수가 같은 두 수

최대공약수가 같은 두 수를 알아봅시다.

$18 = \boxed{2} \times \boxed{3} \times \boxed{3}$
$24 = \boxed{2} \times \boxed{2} \times \boxed{2} \times \boxed{3}$
최대공약수: $\boxed{2} \times \boxed{3} = \boxed{6}$

$18 = \boxed{2} \times \boxed{3} \times \boxed{3}$
$\boxed{6} = \boxed{2} \times \boxed{3}$
$24 - 18$
최대공약수: $\boxed{2} \times \boxed{3} = \boxed{6}$

같습니다.

24와 18의 최대공약수는 18과 6(=24−18)의 최대공약수와 같습니다.
즉, 두 수의 최대공약수는 한 수와 두 수 차의 최대공약수와 같습니다.

$28 = \boxed{2} \times \boxed{2} \times \boxed{7}$
$36 = \boxed{2} \times \boxed{2} \times \boxed{3} \times \boxed{3}$
최대공약수: $\boxed{2} \times \boxed{2} = \boxed{4}$

$28 = \boxed{2} \times \boxed{2} \times \boxed{7}$
$\boxed{8} = \boxed{2} \times \boxed{2} \times \boxed{2}$
$36 - 28$
최대공약수: $\boxed{2} \times \boxed{2} = \boxed{4}$

$60 = \boxed{2} \times \boxed{2} \times \boxed{3} \times \boxed{5}$
$45 = \boxed{3} \times \boxed{3} \times \boxed{5}$
최대공약수: $\boxed{3} \times \boxed{5} = \boxed{15}$

$60 = \boxed{2} \times \boxed{2} \times \boxed{3} \times \boxed{5}$
$\boxed{15} = \boxed{3} \times \boxed{5}$
$60 - 45$
최대공약수: $\boxed{3} \times \boxed{5} = \boxed{15}$

30 32
30 $\boxed{2}$ 의 최대공약수 $\boxed{2}$
$32 - 30$

최대공약수가 같은 두 수를 이용하여 최대공약수를 구하세요.

15 18
15 $\boxed{3}$ 의 최대공약수 $\boxed{3}$
$18 - 15$

60 75
60 $\boxed{15}$ 의 최대공약수 $\boxed{15}$
$75 - 60$

40 50
40 $\boxed{10}$ 의 최대공약수 $\boxed{10}$
$50 - 40$

94 98
94 $\boxed{4}$ 의 최대공약수 $\boxed{2}$
$98 - 94$

42 63
42 $\boxed{21}$ 의 최대공약수 $\boxed{21}$
$63 - 42$

88 99
88 $\boxed{11}$ 의 최대공약수 $\boxed{11}$
$99 - 88$

응용연산

1 최대공약수가 같은 것끼리 선으로 이으세요.

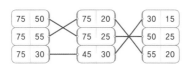

75 50	75 20	30 15
75 55	75 25	50 25
75 30	45 30	55 20

2 다음과 같이 최대공약수가 같은 두 수를 이용하여 두 수의 최대공약수를 구하세요.

```
  ) 812   868
2 ) 812   56 · 868−812
2 ) 406   28
7 ) 203   14
     29    2
```
최대공약수: $2 \times 2 \times 7 = 28$

예
```
  ) 630   642
2 ) 630   12
3 ) 315   6
    105    2
```
최대공약수: $2 \times 3 = 6$

예
```
  ) 900   924
2 ) 900   24
2 ) 450   12
3 ) 225   6
     75    2
```
최대공약수: $2 \times 2 \times 3 = 12$

예
```
  ) 882   918
2 ) 882   36
3 ) 441   18
3 ) 147   6
     49    3
```
최대공약수: $2 \times 3 \times 3 = 18$

3 두 수의 최대공약수가 다른 것을 찾아 ✕표 하세요.

| 96, 102 | 90, 84 | 84, 78 | 78, 72 | 70, 76 ✕ |

| 88, 92 | 80, 76 | 48, 52 | 8, 12 | 50, 54 ✕ |

4 다음 두 수의 최대공약수를 간단히 구해 봅시다.

$$2769 \qquad 91$$

2769에서 91의 배수를 뺀 수와 91의 최대공약수는 2769와 91의 최대공약수와 같습니다.
2769에서 $91 \times 30 = 2730$을 뺀 수를 이용하여 2769와 91의 최대공약수를 구하세요.

$) \ 2769 \quad 91 \ \Rightarrow \ ) \ \boxed{39} \quad 91$ 최대공약수: $\boxed{13}$

위와 같은 방법을 사용하여 다음 두 수의 최대공약수를 구하세요.

$) \ 5719 \quad 57 \ \Rightarrow \ ) \ \boxed{19} \quad 57$ 최대공약수: $\boxed{19}$

배수판정법과 나머지

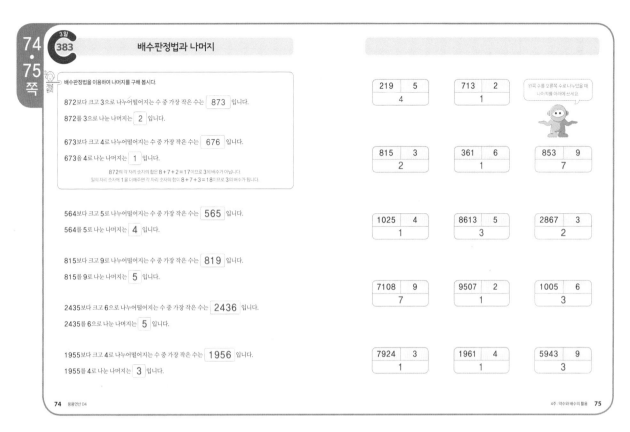

배수판정법을 이용하여 나머지를 구해 봅시다.

872보다 크고 3으로 나누어떨어지는 수 중 가장 작은 수는 **873** 입니다.

872를 3으로 나눈 나머지는 **2** 입니다.

673보다 크고 4로 나누어떨어지는 수 중 가장 작은 수는 **676** 입니다.

673을 4로 나눈 나머지는 **1** 입니다.

872의 각 자리 숫자의 합은 8 + 7 + 2 = 17 이므로 3의 배수가 아닙니다.
일의 자리 숫자에 1을 더해주면 각 자리 숫자의 합이 8 + 7 + 3 = 18이므로 3의 배수가 됩니다.

564보다 크고 5로 나누어떨어지는 수 중 가장 작은 수는 **565** 입니다.

564를 5로 나눈 나머지는 **4** 입니다.

815보다 크고 9로 나누어떨어지는 수 중 가장 작은 수는 **819** 입니다.

815를 9로 나눈 나머지는 **5** 입니다.

2435보다 크고 6으로 나누어떨어지는 수 중 가장 작은 수는 **2436** 입니다.

2435를 6으로 나눈 나머지는 **5** 입니다.

1955보다 크고 4로 나누어떨어지는 수 중 가장 작은 수는 **1956** 입니다.

1955를 4로 나눈 나머지는 **3** 입니다.

| 219 | 5 | | 713 | 2 |
| 4 | | | 1 | |

왼쪽 수를 오른쪽 수로 나누었을 때 나머지를 아래에 쓰세요

| 815 | 3 | | 361 | 6 | | 853 | 9 |
| 2 | | | 1 | | | 7 | |

| 1025 | 4 | | 8613 | 5 | | 2867 | 3 |
| 1 | | | 3 | | | 2 | |

| 7108 | 9 | | 9507 | 2 | | 1005 | 6 |
| 7 | | | 1 | | | 3 | |

| 7924 | 3 | | 1961 | 4 | | 5943 | 9 |
| 1 | | | 1 | | | 3 | |

응용연산

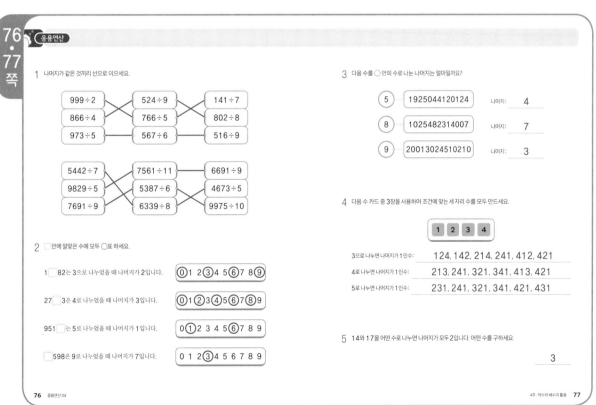

1 나머지가 같은 것끼리 선으로 이으세요.

999÷2 — 524÷9 — 141÷7
866÷4 — 766÷5 — 802÷8
973÷5 — 567÷6 — 516÷9

5442÷7 — 7561÷11 — 6691÷9
9829÷5 — 5387÷6 — 4673÷5
7691÷9 — 6339÷8 — 9975÷10

2 □안에 알맞은 수에 모두 ◯표 하세요.

1 □82는 3으로 나누었을 때 나머지가 2입니다. ⓪1 2③4 5⑥7 8⑨

27□3은 4로 나누었을 때 나머지가 3입니다. ⓪1②3④5⑥7⑧9

951□는 5로 나누었을 때 나머지가 1입니다. 0①2 3 4 5⑥7 8 9

□598은 9로 나누었을 때 나머지가 7입니다. 0 1 2③4 5 6 7 8 9

3 다음 수를 ◯안의 수로 나눈 나머지는 얼마일까요?

⑤ — 1925044120124 나머지: **4**

⑧ — 1025482314007 나머지: **7**

⑨ — 20013024510210 나머지: **3**

4 다음 수 카드 중 3장을 사용하여 조건에 맞는 세 자리 수를 모두 만드세요.

[1] [2] [3] [4]

3으로 나누면 나머지가 1인 수: 124, 142, 214, 241, 412, 421

4로 나누면 나머지가 1인 수: 213, 241, 321, 341, 413, 421

5로 나누면 나머지가 1인 수: 231, 241, 321, 341, 421, 431

5 14와 17을 어떤 수로 나누면 나머지가 모두 2입니다. 어떤 수를 구하세요.

3

C 384 과부족 문제

과부족 문제를 해결하는 방법을 알아봅시다.

> 어떤 수로 31을 나누면 3이 남고, 40을 나누면 2가 모자랍니다. 어떤 수를 모두 구하세요.

어떤 수로 31을 나누면 3이 남습니다. ➡ 어떤 수로 28 을 나누면 나누어떨어집니다.

어떤 수로 40을 나누면 2가 모자랍니다. ➡ 어떤 수로 42 를 나누면 나누어떨어집니다.

어떤 수로 28과 42를 나누면 모두 나누어떨어집니다.

➡ 어떤 수는 28 과 42 의 약수입니다.

28과 42의 약수 ➡ 1, 2, 7, 14

나누는 수는 나머지보다 커야 하므로 어떤 수는 7 , 14 입니다.

> 어떤 수를 4로 나누면 1이 남고, 6으로 나누면 1이 남습니다. 어떤 수 중 가장 작은 수는 얼마일까요?

어떤 수를 4로 나누면 1이 남습니다. ➡ 어떤 수는 4 의 배수보다 1 큰 수입니다.

어떤 수를 6으로 나누면 1이 남습니다. ➡ 어떤 수는 6 의 배수보다 1 큰 수입니다.

어떤 수는 4 와 6 의 공배수보다 1 큰 수입니다.

4와 6의 공배수 ➡ 12, 24, 36 ……

4와 6의 공배수보다 1 큰 수 ➡ 13, 25, 37 ……

따라서 어떤 수 중 가장 작은 수는 13 입니다.

> 어떤 수로 27을 나누면 3이 남고, 21을 나누면 3이 남습니다. 어떤 수 중 가장 큰 수는 얼마일까요?

어떤 수는 24 와 18 의 (최대공약수 , 최소공배수)이므로

어떤 수는 6 입니다.

> 어떤 수를 6으로 나누면 3이 모자라고, 8로 나누면 3이 모자랍니다. 어떤 수 중 가장 작은 수는 얼마일까요?

어떤 수는 6 과 8 의 (최대공약수 , 최소공배수)보다 3 작은 수이므로

어떤 수는 21 입니다.

> 어떤 수로 49를 나누면 4가 남고, 25를 나누면 5가 모자랍니다. 어떤 수 중 가장 큰 수는 얼마일까요?

어떤 수는 45 와 30 의 (최대공약수 , 최소공배수)이므로

어떤 수는 15 입니다.

> 어떤 수를 9로 나누면 7이 남고, 15로 나누면 7이 남습니다. 어떤 수 중 가장 작은 수는 얼마일까요?

어떤 수는 9 와 15 의 (최대공약수 , 최소공배수)보다 7 큰 수이므로

어떤 수는 52 입니다.

응용연산

1 어떤 수가 될 수 있는 수를 모두 쓰세요.

33과 28을 어떤 수로 나누면 나머지가 모두 3이 됩니다.

어떤 수: 5

67을 어떤 수로 나누면 나머지가 3이고, 76을 나누면 나머지가 4입니다.

어떤 수: 8

어떤 수로 35를 나누면 3이 남고, 54를 나누면 2가 모자랍니다.

어떤 수: 4, 8

2 어떤 수 중 가장 작은 수를 구하세요.

어떤 수를 15로 나누어도 5가 남고, 20으로 나누어도 5가 남습니다.

어떤 수: 65

어떤 수를 8로 나누면 5가 모자라고, 6으로 나누어도 5가 모자랍니다.

어떤 수: 19

12와 15로 어떤 수를 나누면 나머지가 7로 같습니다.

어떤 수: 67

3 43과 61을 어떤 수로 나누면 나머지가 모두 7입니다. 어떤 수가 될 수 있는 수들의 합을 구하세요.

18+9= 27

4 3, 4, 5 중 어느 수로 나누어도 나머지가 항상 2인 수 중 가장 작은 수는 얼마일까요?

62

5 학급 문고의 책을 7권씩 세면 5권이 남고 9권씩 세어도 역시 5권이 남습니다. 학급 문고의 책이 100권보다는 많고 150권보다는 적다고 할 때 책은 모두 몇 권 있을까요?

131 권

6 사과 37개와 귤 39개를 학생들에게 똑같이 나누어 주면 사과는 2개가 남고 귤은 3개가 모자랍니다. 학생은 모두 몇 명일까요?

7 명

형성평가

1 다음과 같은 규칙으로 빈칸에 알맞은 수를 쓰세요.

| 12 | 8 |
| 4 | |

12와 8의 최대공약수는 4입니다.

| 30 | |
| 15 | 10 |

15와 10의 최소공배수는 30입니다.

```
        480
    96      120
32      24      30
    8       6
        2
```

2 두 수 64와 72의 최소공배수는 최대공약수의 몇 배일까요?

72 배

3 최대공약수가 같은 것끼리 선으로 이으세요.

90	40		45	40		10	40
85	40		50	40		15	60
45	75		30	45		5	40

4 두 수의 최대공약수가 다른 것을 찾아 ×표 하세요.

| 110, 30 | 490, 30 | 520, 30 | 340, 30 | 75~~, 30~~ |

| 99~~, 21~~ | 147, 21 | 21, 315 | 21, 483 | 861, 21 |

5 ☐ 안에 알맞은 수에 모두 ○표 하세요.

473☐는 8로 나누었을 때 나머지가 3입니다.

0 ①② 3 4 5 6 7 8 ⑨

6☐45는 9로 나누었을 때 나머지가 5입니다.

0 1 2 3 4 5 6 7 ⑧ 9

6 다음 수를 ○ 안의 수로 나눈 나머지는 얼마일까요?

③ — 216556191203   나머지: 2

④ — 56281048849   나머지: 1

⑨ — 30312345657   나머지: 3

---

7 어떤 수가 될 수 있는 수를 모두 쓰세요.

66과 42를 어떤 수로 나누면 나머지가 모두 2가 됩니다.

어떤 수: 4, 8

110과 65를 어떤 수로 나누면 나머지가 모두 2가 됩니다.

어떤 수: 3, 9

8 어떤 수 중 가장 작은 수를 구하세요.

어떤 수를 22로 나누어도 4가 남고, 6으로 나누어도 4가 남습니다.

어떤 수: 70

어떤 수를 14로 나누어도 3이 남고, 18로 나누어도 3이 남습니다.

어떤 수: 129

9 학생을 8명씩 줄 세우면 3명이 남고 6명씩 세우면 역시 3명이 남습니다. 학생이 200명보다는 많고, 220명보다는 적다고 할 때 학생은 모두 몇 명일까요?

219 명

66

Numbers rule the universe.

99

"수가 우주를 지배한다"

Pythagoras, 피타고라스